De engel van Kebayoran

De engel van Kebayoran

Een familiegeschiedenis

Louis Zweers

KIT Publishers – Amsterdam

KIT Publishers
Mauritskade 63
Postbus 95001
1090 HA Amsterdam
E-mail: publishers@kit.nl
www.kitpublishers.nl

ISBN 978-94-6022-113-2
NUR 300

Inhoudsopgave

Deel I

Den Haag, weduwe van Indië	11
De tamboer	19

Deel II

Een sprookjeshuwelijk	31
De exodus	55
Het gevaarlijke jaar	69

Deel III

Habibies buffer	85
Een vriendelijke generaal	97
De Chinese amateurschilder	102
De astronoom	106
Theejonker van de Preanger	114
De engel van Kebayoran	119
Ground Zero	126
Een boze generaal	137
Een tropenfamilie	143
De buitenstaander	150

Deel IV

Weerzien	165
Hallo Bandung	177
Australische Helen	188
Dutch Dolly	192
De grote verteller	201
Bruine Hollander	207
Liefde op het eerste gezicht	216
De onvoltooide brief	218

Woordenlijst	224
Verantwoording	226
Nawoord	230
Over de auteur	231

Ik draag dit boek op aan Lily

Stamboom
(voor zover de familieleden figureren in dit boek)

Jan Zweers (1874–1951) x Hendrika van Basten

Jan (1906–1955)	Karel	Louis	Janny
x		x	
Else Kötter (1909–1988)		Anna	

Lily (1932)
x
Amir (Arthur) (1928–2002) x (2e huwelijk) Elly

Louis (auteur)

Guntur (1952–2005)	Nana (1954)	Dewi (1956)	Maya
x	x	x	
Inah	Benny	Sirad	

Ariel

Achmad

Lativa (1974)
x
Diman (1964–2004)

tweelingdochters

Deel I

Den Haag, weduwe van Indië

'Er verhief zich een reusachtige paddenstoel in de lucht. De onvoorstelbare schokgolf van de atoombom heb ik gevoeld. Die bom heeft mijn leven gered. De Japanners waren voorgoed verslagen.'

Het zijn de vaak uitgesproken woorden van onze Indische buurman Seydels, oud-onderwijzer aan de Hollands-Indische School (HIS) in Batavia. Tijdens de Tweede Wereldoorlog werd hij als dwangarbeider te werk gesteld bij een vliegtuigfabriek buiten de Japanse stad Nagasaki. Later werd de familie Seydels uit voormalig Nederlands-Indië gerepatrieerd en ondergebracht in een Haagse nieuwbouwwijk. Met hun jonge zoon, mijn Indische vriendje Ferdie, speelden we oorlogje in de dichte bosjes van de binnentuinen achter het langgerekte huizenblok. Ferdie bezat een bamboespeer en ik droeg een zilverglimmende imitatiecolt in een houder aan mijn riem. De inzet was vaak een paar meisjes, onder wie de Indische tweeling Dora en Dina; ze werden in het spel de 'indiaantjes' genoemd die veroverd moesten worden. Soms hielden we op met spelen en keken nauwlettend naar de grillig gevormde donkere regenwolken.

'Loek', zei mijn vriendje Ferdie dan, 'kijk daar eens: een grote paddenstoel! Er is weer een atoombom gevallen.'

In een onbestemd landje vlak bij onze nieuwbouwflat groeven we lange gangen en diepe kuilen: we gingen ondergronds. Daar ontstond onze schuilplaats voor de bom. Een andere jongen aan de overkant van de weg had al een tunnel onder de tramrails gegraven. Op een gegeven moment kwam de tram voorbij waardoor de tunnel instortte en de jongen bijna het leven liet. Dat maakte grote indruk op alle kinderen en ouders. Het onschuldige graven in de kleiige grond was definitief voorbij; in plaats van buiten te spelen, oefenden we voortaan in het koortje van buurjongen Gerard. Hij wilde priester worden en liet ons mysterieuze Latijnse liederen zingen in zijn schemerige kelder waar een muffe geur hing van het fruit dat daar lag opgeslagen.

De Seydels kochten als eersten in de buurt een zwart-wittelevisie. De kleine kinderen van onze flat mochten op woensdagmiddag naar de jeugdprogramma's *De Verrekijker* en *Dappere Dodo* kijken. We zetten onze schoenen bij de voordeur neer. Met zijn allen zaten we dan op de grond voor de televisie. Binnenskamers rook het naar vreemde kruiden en geurige kreteks, en er hingen exotische batikkleden en antieke Javaanse krissen aan de muur.

Begin jaren vijftig woonden we in Moerwijk. Deze Haagse wijk lag ingesloten tussen het Zuiderpark en het oude landgoed Overvoorde. Door het grote woningtekort verrezen in ijltempo aan de zuidwestelijke rand van Den Haag nieuwe woonwijken. Een moderne flat was in die tijd voor een jong gezin het symbool van geluk. De bevolking van Moerwijk was heterogeen van samenstelling, want de woningnood had mensen uit allerlei sociale lagen bij elkaar gebracht. De jonge kinderrijke gezinnen waren afkomstig uit oude wijken, uit andere delen van het land en vooral uit het voormalig Nederlands-Indië. Andere buren waren de Pinkes, verdreven *totoks* uit de kolonie, die met hun twee halfvolwassen zoons in Moerwijk waren ondergebracht. Na het Jappenkamp en de turbulente Bersiaptijd op Java kwamen ze berooid in Nederland aan. Zelfs hun geliefde fotoalbums met beelden van de Indische wereld bleken de oorlog niet te hebben overleefd. Ze woonden vroeger in een prachtig ruim, oud-Indisch huis met open voor- en achtergalerij. In de tropische tuin stonden witgekalkte potten van aardewerk met weelderige planten. Hun woning stond in de schaduw van oude hoge kenaribomen met hun typische kantige wortellijsten. Ze hadden voldoende personeel voor de kinderen en het huishouden. De felle zon scheen bijna altijd. Nu bewoonden ze een kleine flat op de vierde verdieping in een nieuwbouwwijk. Ze misten de zon en hadden moeite met de lange winters, sombere wolkenluchten en de calvinistische mentaliteit. Eind jaren dertig hadden ze hun jonge dochter al voor studie naar Nederland gezonden. Ze woonde in bij kennissen in Maastricht. Door het uitbreken van de Tweede Wereldoorlog werd het contact jarenlang verbroken. Pas zeven jaar later zouden ze haar weer terugzien. Ze was vervreemd geraakt van haar Indische familie. De treurig kijkende mevrouw Pinke zei altijd dat ze door de oorlog een dochter had verloren. Hun oudste zoon was stuurman bij de koopvaardij en was bijna nooit thuis. De jongste zoon woonde nog wel bij zijn ouders en had een Vespa-scooter. Soms mocht ik achterop meerijden. Hij reed hard door de nog lege straten van de nieuwe wijk. Het gaf mij een gevoel van vrijheid.

Jaren later loop ik door de kale lange gang van het oude Haagse ziekenhuis Zuidwal. In een deprimerende zaal met acht identieke witmetalen bedden liggen bleke mannen. Een grauw uitziende man wenkt mij moeizaam en roept mijn naam. 'Loek, Loek'! Ik herken hem niet direct. Het blijkt mijn oude buurman Pinke te zijn. Hij is er slecht aan toe. Enkele dagen eerder heeft hij een hartaanval gehad. Hij was te zwak om de telefoon te bereiken. Pas uren later werd hij bewusteloos in zijn flat aangetroffen. Zijn zorgzame vrouw heeft hij jaren eerder al verloren. Hij droomt alleen nog over het mooie, vooroorlogse Indië. Hij ziet beelden van inlandse vrouwen in kleurige sarongs, groene theeplantages, *sawa's*, vulkanen en zijn *pondok* in de bergen. Hij praat zacht maar indringend over zijn tijd in de tropen. De traumatische herinneringen van zijn internering in het Jappenkamp zijn blijkbaar uit zijn geheugen weggewist. In de jaren twintig reisde hij af naar de tropen omdat hij zich niet thuisvoelde in de benauwende Nederlandse samenleving van die tijd. In Indië ontmoette hij zijn Hollandse vrouw. Ze begonnen een modezaak annex textielatelier in Surabaya en daar nam zijn vrouw in haar atelier lokale naaisters in dienst. De laatste Europese mode werd nauwlettend gevolgd en perfect nagemaakt. De modieuze kledingstukken werden afgenomen door de welgestelde kolonialen. Met zijn Ford Cabriolet bracht hij in een smetteloos wit tropenpak de satijnen japonnen naar de clientèle, vaak zelfs tot in de meest afgelegen plaatsen van het bergachtige Oost-Java. Een mooie tijd waar hij met genoegen aan terugdacht.

Op de begane grond van de flat woonde een bejaard Indisch echtpaar met de deftige achternaam van Heemstede Obelt. Ze hadden de gelukkigste periode van hun leven op het eiland Java uit hun gedachten verbannen. De man had voor het Nederlands-Indische gouvernement gewerkt. Door de Japanse bezetting en de onafhankelijkheidsstrijd verloren ze bijna al hun bezittingen. Slechts twee kleine 'Mooi-Indië'-olieverfschilderijen waren gespaard gebleven. Getreurd hadden ze om het einde van de koloniale tijd en de daarbij behorende sociale status. De kleine, tengere, beweeglijke Indischman was ruim zeventig jaar. Hij had het altijd koud, droeg dikke truien en sliep met twee metalen warmwaterkruiken onder moltondekens. Zijn vrouw was bijziend maar weigerde een bril te dragen. Dat vond ze een teken van ouderdom. Trots vertelde ze iedereen in beschaafd Nederlands dat ze geen kleurspoeling gebruikte en dat het ravenzwart haar echte haarkleur was. Ze gebruikte te veel make-up en kleedde zich veelal modieus. Ze doste zich altijd uit alsof ze naar een party wilde gaan. Nu sleten ze hun laatste jaren in deze kleine Haagse flat. Ze gingen bijna nooit meer de deur uit.

Het is zomer in 1959. Op het kleine balkon aan de voorkant van de witgeschilderde flat aan de Erasmusweg in Moerwijk zit ik met mijn zojuist gearriveerde, lichtgetinte, Indonesische achterneefje Guntur. Hij komt uit Bandung op Java en is zeven jaar oud. We eten rijpe Hollandse kersen uit een bakje. Balorig hang ik de dubbele kersen met groene steeltjes over zijn oren. Op de trambaan aan de overkant van het water rijdt een lichtgele tram met open balkon en bijwagen. Alle ramen staan open en knarsend vervolgt de tram zijn route. In de gekanaliseerde Laak vaart een platte schuit volgeladen met gestapelde kisten tomaten uit de kassen van het nabijgelegen Westland. Een bootsman duwt geluidloos de platbodem met een lange stok voort door het traag stromende water. Ze vervoeren groenten naar de Haagse markt. Guntur staart verwonderd naar buiten en zegt: 'Ik dacht dat jullie aan de kust woonden?'

We lopen naar mijn kamer aan de achterkant van de flat. Door mijn Zeiss-verrekijker laat ik hem de duinen en de vage strook zee in de verte zien. We bewonen de hoogste verdieping van de flat en hebben vrij uitzicht tot aan de kust. Er staan nog geen andere hoge gebouwen in de omgeving. Het is de laatste flat aan de rand van de stad, daarachter bevinden zich braakliggende landjes met hoge grassen, onkruid en kleine moerassen die door het regenwater zijn gevormd. Guntur en ik besluiten om nog diezelfde middag op de fiets naar het strand bij Vogelwijk te gaan. We fietsen door de duinen bij de afrit van de Savornin Lohmanlaan. Het is daar zoals altijd heel rustig. Bij helder weer is het uitzicht vanaf het hoogste punt van deze duin verbazingwekkend mooi en uitgestrekt. Het zou ergens in Italië kunnen zijn. Guntur heeft nog nooit het strand en de zee gezien. Hij verbaast zich over het brede duinlandschap en de onstuimige zee die door pieren van zwarte basaltblokken in toom wordt gehouden. Het is mogelijk om bij opkomend tij een zandkasteel te bouwen. Je blijft er in zitten en zorgt dat de zandwallen standhouden tegen de oprukkende zee. Meestal verlies je deze ongelijke strijd. Een enkele keer als de vloed over zijn hoogtepunt heen is, blijf je alleen op een eilandje achter: een kleine overwinning op de onoverwinnelijke zee. De zon schijnt vandaag fel en de niveacrème biedt geen bescherming aan mijn gevoelige bleke huid. Op de terugweg fietsen we in hoog tempo door het centrum van Den Haag richting het Noordeinde. Het nylonshirt plakt aan mijn bezwete rug. Gunturs familie logeert in het statige Hotel Des Indes. We lopen de brede houten trap op die met een rode loper is bekleed. Aan het eind van de gang op de eerste verdieping staat een meisje met vlechtjes. Het is Gunturs jongste zusje Dewi. Ze is heel blank en blond. We lopen door naar de grote hotelkamer waar moeder Lily zich met haar oudste dochter Nana ophoudt. Ze draagt een zwarte avondjapon en is haar lippen donkerrood aan het stiften.

Ze kijkt me vriendelijk aan en zegt: 'Loek, wat ben je roodverbrand!' Nana merkt op: 'Wat heb jij veel sproeten, waar komen die vandaan?'

'Dat heeft de zon gedaan', zeg ik met een flauw glimlachje.

'Oh, ik wist niet dat de zon dat kon doen.'

Ze is verbaasd. 'Gaan die sproeten nooit meer weg?'

'Nee, maar ze verbleken in de winter en zijn dan bijna verdwenen.'

'Hebben jullie nog pootje gebaad?', vraagt Lily.

Nee, Guntur durft de branding niet in. Hij is bang voor de sterke stroming.

'*Penakut*', zegt Nana en krult lachend haar bovenlip.

'Ga je morgen mee rijsttafelen bij restaurant Garoeda?', vraagt Gunturs moeder.

'Rijsttafelen?', zeg ik verbaasd.

'Ja, dat zijn speciale rijstgerechten zoals ze die in Indonesië eten', legt ze uit.

Dat lijkt me leuk. Thuis eten we soms rijst met rozijnen, bestrooid met suiker en kaneel.

Zoals afgesproken kom ik met mijn ouders naar het chique restaurant Garoeda aan de Kneuterdijk in het centrum van Den Haag. De *djongos* met hun keurige witte jasjes zetten voortdurend nieuwe gerechten op onze tafel. Er worden verschillende schotels met sterk gekruide kip, rundvlees en vis neergezet. Een grote schep rijst, groenten en vlees met sambal deponeer ik op mijn bord. Lily schudt afkeurend haar hoofd.

'Rijsttafelen is een kunst. Bij elke hap rijst kies je een stukje kip, vlees of vis. Iedere hap is een nieuwe combinatie. En eet niet te veel en vooral niet als een *orang asing*.'

Het is tevens een afscheidsmaaltijd. De volgende ochtend vertrekken ze vanaf Schiphol naar Indonesië. Helaas kan ik ze niet uitzwaaien want ik moet naar school. In gedachten ben ik nog bij mijn Indonesische achterneefje. Het is tien minuten lopen naar school. Ik kauw op de zoetige bazooka-kauwgum. Overal hoor ik stoommachines grote heipalen in de moerassige grond slaan; er worden steeds meer nieuwe flats gebouwd. Vlak bij school staan veel duinrozen: ze hebben roze, witte en rode bloemen en ruiken zoetig. De sterke geur blijft in mijn neus hangen.

De tamboer

'Loek kent de letters wel, maar komt nog niet tot lezen. Hij heeft moeite met het onderscheiden van de verschillende klanken van een woord', meldde mijn eerste schoolrapportje. De aardige onderwijzeres Tessa Bauer schreef een jaar later: 'Loek zit nog steeds met taalmoeilijkheden. Maar hij houdt echter moedig vol en zal er wel komen.'

Thuis moest ik hardop lezen en veel taaloefeningen doen. Mijn favoriete vakken waren geschiedenis en aardrijkskunde. In het schoollokaal hingen allerlei kleurige schoolplaten, zoals die van de overwintering van Willem Barentsz en zijn mannen op het ijskoude Nova Zembla. Een andere intrigerende wandplaat toonde de verovering van Tjakra Negara op Lombok in 1894: soldaten van het Nederlands-Indische leger zijn in hevige gevechten gewikkeld met de opstandige Balinezen die woest met hun ogen rollen. De onverschrokken soldaten met hun geweren en bajonetten vechten tegen de inlanders die slechts lansen en klewangs hebben. Deze suggestieve Indische schoolplaat maakte een grote indruk op mijn onbedorven kinderziel. Op dat moment was ik me er nog niet van bewust dat mijn grootvader Jan, die in 1951 overleed, aan deze militaire expeditie op Lombok had deelgenomen. Ik bewaar geen levendige herinneringen aan hem, hij is gestorven toen ik drie jaar was. Jaren later stuitte ik op zijn in varkensleer gebonden aantekenboekje, sepiakleurige foto's, medailles, papieren van het Korps Mariniers en een zilverkleurige schoenlepel, die waren opgeborgen in een kartonnen doos op de zolder. De sporen van zijn verleden.

Eind negentiende eeuw kwamen avonturiers en fortuinzoekers onvermijdelijk in de Oost terecht. Mijn grootvader had in december 1891 een contract voor acht jaar bij het Korps Mariniers gesloten. Hij kreeg een voorschot van vijfenzeventig gulden. Het maandgeld bedroeg dertien gulden en liep later op tot eenentwintig gulden. In het voorjaar van 1892 werd hij als achttienjarige marinier naar Nederlands-Indië gezonden. Hij was aangesteld als tamboer en hoornblazer; hij had een platte trom met draagriem en een koperen signaalhoorn. Hij kende een hele reeks hoornsignalen, zowel van tactische aard als voor de dienst aan boord van schepen. Het was zijn taak elke ochtend vroeg op het dek de reveille te blazen. Op een dag kon hij door een kloof in zijn lip niet goed spelen en dus roffelde hij met stevige, ritmische slagen op zijn trommel. Maar dit geluid werd niet gehoord en niemand werd wakker. Vervolgens pakte een collega de hoorn van mijn grootvader om de militairen alsnog te wekken.

Na een zeereis van drie maanden, met een tussenstop in Kaapstad, kwam mijn grootvader in Batavia aan waar hij werd gestationeerd op het houten wachtschip Gedeh. Een halfjaar eerder was dit schip uit dienst gehaald omdat aan boord cholera was uitgebroken. De zieke bemanning werd in barakken in Meester Cornelis ten zuiden van Batavia ondergebracht, waarna het schip en de inventaris met kalk en sublimaat werden ontsmet. In het dok ontdeed men de buitenkant van de Gedeh van een dikke laag oesters en schelpen. Het schip werd helemaal opgeknapt en geschilderd en weer in gebruik genomen. Mijn grootvader bevond zich in april 1893 als marinier (met een aantal pelotons van de landingsdivisie) aan boord van het pantserschip Prins Hendrik dat sinds 1890 deel uitmaakte van de scheepsmacht in Atjeh. Dit was het eerste gepantserde nieuwbouwschip van de Koninklijke Marine en het had een voor zijn tijd ongewoon sterke bewapening.

Het Nederlandse oorlogsschip patrouilleerde langs de kusten van Atjeh in Noord-Sumatra om de zeeblokkades te effectueren. Soms werden vanaf de Prins Hendrik zware artilleriebeschietingen op de opstandige kampongs van de Atjehse kuststaten uitgevoerd. En soms landden de mariniers op het strand en bestormden ze de *bentengs* van de Atjehse moslimstrijders die een heilige oorlog voerden tegen de ongelovige koloniale machthebbers. De negentiende-eeuwse guerrilla's vochten met ware doodsverachting en waren in het bezit van antieke vuurwapens, lansen en krissen. Ze doken plotsklaps op vanuit de *alang-alang* of vanachter een bos armdikke bamboes. In het dichtbegroeide woud lagen ze verdekt opgesteld in een hinderlaag. Het waren soms bloedige van man-tot-mangevechten. Op commando blies mijn grootvader op zijn koperen hoorn het signaal voor de aanval, waarna hij hard op zijn platte trom roffelde: hiermee gaf hij de zogenaamde stormpas aan. Op dat moment was hij niet in staat zich te verdedigen tegen aanvallers; hij hield alleen zijn trommelstokjes vast. In zijn persoonlijke bewapeningsstaat komt ook geen handvuurwapen of klein kaliber geweer met patroontas voor. Wel droeg hij een kapmes in leren schede, maar dat was eerder een soort gereedschap dan een vechtwapen. Bij een bestorming van een versterkt fort liep hij weer voorop met de trommel op zijn heup. Hoewel hij altijd werd gedekt door andere mariniers, slaagde een Atjehse strijder er toch in met een vlijmscherpe klewang naar zijn hoofd uit te halen. De harde klap werd deels door zijn helm opgevangen en het resultaat was een diepe bloedende wond op zijn voorhoofd. In zijn militaire zakboekje wordt melding gemaakt van het blijvende litteken boven zijn rechterwenkbrauw.

In februari 1894 werd hij opgenomen in het militaire hospitaal van de havenplaats Surabaya in Oost-Java. Een maand later ging hij, blijkbaar weer volledig hersteld, aan boord van het radarstoomschip Bromo dat dienstdeed als wachtschip in de haven van Surabaya. De tijd van het saaie wachtlopen was weer aangebroken. De Nederlandse Marine verstrekte elke dag tegen het eind van de middag een halve deciliter jenever – een oorlam – aan de bemanning.

's Avonds gingen de mariniers stappen in de rosse buurt van de havenplaats waar ze lokale prostituees bezochten. Soms werd een propje tabakspruim in de vagina van een prostituee gestopt: als deze vrouw heftig reageerde was men bevreesd voor een of andere venerische ziekte. De Nederlandse zeesoldaten mochten in de kroeg komen voor hun 'slokkies' maar inheemse soldaten als Ambonezen was dat niet toegestaan. De Hollanders gaven stiekem de glazen jenever door naar buiten aan de inlandse medesoldaten.

Bij de Chinees kochten ze af en toe kleine balletjes slaapgom of opium. Het smaakte naar bittere hars, maar het hielp tegen de lange rusteloze tropische nachten. Liggend in zijn hangmat kon mijn grootvader zo even het harde militaire leven vergeten.

Op Lombok werden de Sasaks, een islamitische bevolkingsgroep, onderdrukt door de van Bali afkomstige vorst en zijn gevolg. Ze kwamen in opstand tegen het dominante hindoeïstische Balinese vorstenbestuur. Nadat deze revolte hardvochtig was neergeslagen, hadden de islamitische Sasaks zich voor hulp tot Batavia gewend. Het Nederlands-Indische Gouvernement besloot tot een militaire expeditie tegen de onafhankelijke Balinese hoofden van Lombok. De invasievloot ankerde bij Ampenan aan de westkust van Lombok, waarna de infanterie aan wal ging. Er was totaal geen verzet en de Balinese leiders gingen zelfs gemoedelijk om met de Nederlandse stafofficieren. Ze werden echter misleid en tijdens een nachtelijke overval werden de soldaten van het Nederlands-Indische leger in hun bivak door de Balinezen overrompeld. Ze moesten vluchten en kwamen zwaargehavend aan bij het strandbivak te Ampenan. De nederlaag van deze eerste Lombokexpeditie (van 13 juni tot 26 augustus 1894) maakte een verpletterende indruk op Java en het moederland. Het Nederlandse prestige was in het geding en diende te worden hersteld.

Na dit zogenoemde Verraad van Lombok werd ijlings een nieuwe militaire expeditie uitgerust. Een invasiemacht, met het pantserschip Prins Hendrik, de fregatten Koningin Emma en Tromp, en de flottieljevaartuigen Borneo en Bali, verplaatste zich gestaag richting Lombok. Medio september 1894 werden vanaf deze oorlogsschepen de plaatsen Mataram en Tjakra Negara, de bolwerken van de Balinese vorsten, met zwaar marinegeschut onder vuur genomen. Daarna werden de bataljons infanterie en de mariniers aan land gezet. Mijn grootvader bevond zich op dat moment met een aantal pelotons mariniers op de Bali. Hij werd in de nacht van 28 op 29 september 1894 gedebarkeerd bij de plaats Ampenan. De mariniers bleven in het basiskamp aan de kust. Ze groeven zich in op het vlakke zandstrand en bouwden versterkingen in de groene kustvlakte. Hun taak was dit bivak te bewaken.

's Nachts staarde mijn grootvader over de zwarte, diepe zee. Daarachter lag het betoverende Bali nog donkerder. Hij keek omhoog naar de ontelbare sterren en nam een slokje jenever uit zijn metalen zakflesje. Tijdens de militaire actie werd het drankrantsoen verhoogd en er werd bovendien een flinke portie rook- en pruimtabak uitgedeeld. Op een nacht wilden twee Balinese saboteurs heimelijk een Nederlands oorlogsschip met dynamiet opblazen, maar deze aanslag mislukte. De mannen werden gesnapt en opgehangen aan een hoge houten stellage op het strand. Daar bleven ze ter afschrikking nog weken hangen. Vogels zwermden om de rottende lijken van de aanslagplegers.

Eind september 1894 werd door het Nederlands-Indische Leger onder leiding van generaal Vetter de aanval op Mataram ingezet. Het doel was deze vorstenstad met zijn bijzondere tempels, paleizen en ommuurde binnenplaatsen met de grond gelijk te maken. Na de verovering werden de vorstenverblijven geplunderd en in brand gestoken. De kroonprins en zijn familie sneuvelden. De krissen, sieraden en andere kostbaarheden werden als oorlogsbuit in beslag genomen. Enige tijd later beschoot de artillerie vanuit de veroverde stellingen het verderop gelegen Tjakra

Negara, waar de oude Balinese *radja* zich met zijn hofhouding had verschanst. Pas zeven weken later, op 18 november 1894, werd Tjakra Negara door bijna vierduizend soldaten met steun van bewapende islamitische Sasaks aangevallen. De jonge luitenant Hendrikus Colijn, de latere christelijke minister-president, nam deel aan de bestorming van het ommuurde vorstenverblijf. Hij wist met een compagnie Ambonezen als eerste het zwaar versterkte *puri* binnen te dringen. De Balinezen boden hevige tegenstand. Herhaaldelijk stormden mannen en vrouwen bewapend met lange lansen op de soldaten in, maar uiteindelijk trokken ze zich terug. Bij hun vertrek staken ze de gebouwen zelf in brand.

Het verzet was definitief gebroken. De oude vorst gaf zich over. Een groot deel van de vorstelijke familie was uitgeweken naar het dorp Sasari en de militairen omsingelden deze kampong. De laatst overgebleven leden van de Balinese vorstenclan, mannen, vrouwen en kinderen, stortten zich in hun fijn bewerkte gewaden met krissen en lansen op de soldaten. Ze lieten zich willoos door het geweervuur neermaaien. De jonge officier Colijn rookte rustig een sigaar terwijl zijn Ambonese soldaten het karwei afmaakten. Wie niet direct werd neergeschoten, kriste zichzelf; in hun wanhoopsoffensief zochten vele leden van de vorstelijke familie hun toevlucht tot de *puputan*. Ze verloren liever hun leven dan de vrijheid. De ongedeerde Colijn, hij liep slechts een schot op door zijn broekspijp, beleefde zijn vuurdoop op Lombok.

Mijn grootvader verbleef ruim twee maanden op Lombok, het eiland met de alom aanwezige hoge vulkaan Rinjani. Tijdens het weekendverlof wandelde hij met een aantal kameraden over de weg van de havenplaats Ampenan naar het nabijgelegen Mataram en Tjakra Negara. Hij aanschouwde het verlaten slagveld en de ruïnes van de vorstelijke verblijven. Toen de moesson begon, veranderde het bivak al snel in een smerige modderpoel met veel ongedierte; malaria en dysenterie eisten veel slachtoffers onder de Nederlandse militairen. Begin december 1894 keerden de mariniers en de infanteristen terug aan boord van de oorlogsschepen en in de ruimen en tussendeks kwam de stank van zieke soldaten te hangen. De gevangengenomen oude radja en enkele familieleden werden in een sloep aan boord van het pantserschip Prins Hendrik gebracht. De laatste overlevenden van deze adellijke dynastie werden als bannelingen naar Batavia afgevoerd. De succesvolle tweede Lombokexpeditie bevestigde het Nederlandse gezag in de kolonie.

Twee jaar later, in januari 1896, vertrok mijn grootvader met het stoomschip Koningin Emma vanuit de Oost-Javaanse havenstad Surabaya via Kaapstad huiswaarts. Nog tijdens de bootreis ontving hij het bronzen Lombokkruis. Daarop stond gegraveerd 'Lombok, Tjakra Negara, Mataram, 1894. Hulde aan leger en vloot'. De onderscheiding was, zo werd verteld, gemaakt van het op de vijand veroverde bronzen geschut. Dit was een oud gebruik. Pas na drie maanden, in april 1896, zette hij voet aan wal.

Na aankomst in de havenstad Den Helder liet mijn grootvader een studioportret vervaardigen. De portretfoto, die inmiddels is verbleekt, was op dik karton geplakt en op de achterkant stond de naam van de fotograaf W.F. Boelsums in gouden krulletters gedrukt. Zo is mijn grootvader in zijn strakke gala-uniform, met het Lombokkruis gespeld op zijn linkerborst, vereeuwigd. Zijn melancholieke blik is naar binnen gekeerd.

Na ruim vier jaar dienst in de tropen werd hij op een wachtschip te Willemsoord geplaatst. Met zijn gezondheid ging het niet zo goed en regelmatig verbleef hij voor een maand in het hospitaal. Soms was hij na het passagieren te lang weggebleven. Dan werd hij gestraft met inhouding van gage. In december 1899 verliet hij als tamboer 1e klasse het Korps Mariniers. Het Departement van Marine verzorgde de laatste uitbetaling na aftrek van de kosten voor versleten kleding en verloren militaire uitrustingsstukken. Dit was het einde van zijn militaire loopbaan. Hij pakte zijn oude beroep als steendrukker weer op en richtte zich op een toekomst in Nederland.

Over zijn avonturen in de Indische archipel sprak mijn gevoelige grootvader uit zichzelf nooit. Wel werden er verhalen verteld als zijn kameraden die in Indië hadden gediend op bezoek kwamen. De oud-mariniers dronken dan veel jenever met fijngesneden citroenschillen en er werden herinneringen over gevaarlijke oorlogssituaties opgehaald. Dan kwamen de geuren, geluiden en beelden weer naar boven die samen hun koloniale neurose vormden. Grootvader probeerde het Indische avontuur te vergeten, zelfs te verdringen.

Langzaamaan vervaagden zijn traumatische ervaringen, maar soms werd hij gegijzeld door nachtmerries en kwamen in zijn onrustige nachten steeds dezelfde angstige droombeelden voorbij. De zon brandt genadeloos. De schittering van het zonlicht verblindt hem. Er is geen enkele beschutting of bescherming. Geen dichte bamboebosjes, geen djatibomen, geen begroeiing. Bruine mannen, die schreeuwend en zwaaiend met lansen en krissen op hem afstormen. Langzaam, heel langzaam voelt hij dat de scherpte van een klewang zijn hoofd raakt. Zijn tropenhelm valt op de grond. Het warme bloed sijpelt over zijn wangen naar zijn nek en druppelt op de kraag van zijn grauwe uniform. Hij loopt enkele stappen en valt neer op de door de zon geblakerde grond.

Deel II

Een sprookjeshuwelijk

Met een ontwapenende glimlach kijkt ze schuin omhoog in de camera. Dit studioportret is uit augustus 1950. Ze is aantrekkelijk, haar ogen sprankelen en ze heeft halflang blond krullend haar. Ze is net achttien jaar. Op een andere scherpe zwart-witfoto met gekartelde witte rand zit ze op een houten kruk achter de piano. Haar linkerhand rust op de pianotoetsen. Ze draagt elegante schoenen en een lange donkere rok met een lichtkleurig vest. Het naar achteren gekamde haar omgeeft het blanke gezicht met de lachende mond. Ze kijkt met glanzende ogen verwachtingsvol naar de beroepsfotograaf.

Lily hoorde als klein kind al klassieke muziek via de radio en de grammofoonplaten van haar ouders. In haar verbeelding dirigeerde ze soms met een stokje een groot orkest. Haar moeder speelde voortreffelijk piano en stimuleerde haar. Ze begon al jong met pianoles en bleek heel muzikaal. Ze zong zowel in het koor van de Lutherse en de Franse kerk achter de Dom in Utrecht als in het gemengde koor van de ambtenaren van de Staatsspoorwegen. Om haar stem nog verder te ontwikkelen zong ze als sopraan in een dameszanggroepje onder leiding van de bekende Scandinavische zangpedagoge Karin Kwant-Törngren. Op zeventienjarige leeftijd besloot ze auditie te doen bij het Utrechts

Conservatorium dat was gevestigd in de oude binnenstad. Ze begeleidde zichzelf op de piano en zong het bekende lied 'Heiden Röslein' (heideroosje). Moeiteloos werd ze toegelaten tot het conservatorium; ze kreeg een studiebeurs en mocht zelfs het voorbereidende jaar overslaan. Haar hoofdvak was zang en haar bijvak piano. Ze volgde colleges vreemde talen, waaronder Italiaans, en geschiedenis, en kreeg lessen in onder andere ademhalingstechnieken, solfège en articulatie. Het eerste studiejaar bestond haar klas uit acht studenten. Ze was ambitieus en wilde zangeres worden.

Haar vader Jan, zoon van de eerdergenoemde Indië-veteraan, was ambtenaar bij de Staatsspoorwegen. Haar Duitse moeder Else Kötter, afkomstig uit het plaatsje Bochum in de deelstaat Noordrijn-Westfalen, was vanwege de beurscrisis van 1929 naar Nederland gekomen. Ze vond werk als verpleegster in een Utrechts ziekenhuis waar ze haar toekomstige man ontmoette. Ze trouwden en kregen in 1932 een dochter, Lily. Het gezin woonde dicht bij het centrum van Utrecht. Thuis spraken haar ouders altijd Nederlands, al hield haar moeder een Duits accent.

In de zomer van 1950 kwam Lily in een Utrechtse muziekhandel, waar ze halve dagen werkte, de jonge, knappe Indonesiër Raden Amir tegen. Hij was charmant en had een lichtgekleurd Indisch uiterlijk. Hij had de Europese Lagere School en de vijfjarige HBS bezocht en sprak vloeiend Nederlands en Engels. Met zijn 1,75 meter was hij tamelijk lang voor Indonesische begrippen. Hij stamde uit een vooraanstaande Javaanse familie. Zijn grootvader van vaderskant was Raden Nitihardjo, een kleinzoon van sultan Hamengku Buwono VII van Yogyakarta, die meerdere vrouwen had en vele tientallen nakomelingen. Zijn voorouders van moederskant kwamen begin negentiende eeuw uit Duitsland en hadden zich vermengd met Indo-Europese vrouwen. Zijn overgrootvader was Godfried Strielack en zijn grootmoeder Wilhelmina Strielack huwde met Johannes Cornelis Israël. De mannen maakten carrière als Indisch ambtenaar en werden beiden griffier bij de Landraad en later commies bij het Binnenlands Bestuur. In de tweede helft van de negentiende eeuw bewoonden de Strielacks een vrijstaand huis met open voorgalerij en witgekalkte ronde zuilen. Op de veranda stonden de *krossi-gojang*, gemakkelijke schommelstoelen bij de ronde tafel. De neergelaten *krees*, rolgordijnen van dunne bamboelatjes, hielden overdag de warmte buiten. Aan het plafond hingen petroleumlampen. Het grote voorerf werd opgesierd door geglazuurde potten van Chinese herkomst waarin varens en sierpalmen stonden. De Strielacks en Israëls behoorden tot de voorname oud-Indische families te Banjumas op Midden-Java.

Al kort na hun eerste ontmoeting maakte Lily kennis met de andere leden van de Europees georiënteerde familie: zijn Javaanse vader, een man met een ernstig gezicht en grijze haren, zijn afstandelijke Indische moeder Wilhelmina van Javaans-Duitse afkomst en zijn beeldschone jongste zusje Freda. Zij spraken het keurige Nederlands van mensen van goede komaf. Van oudsher bestonden er al banden met Nederland: sommige van hun kinderen hadden in Leiden gestudeerd en waren met Nederlanders getrouwd. Lily verbaasde zich erover dat de familie al maandenlang in Nederland verbleef en vroeg zich af waarom ze Java hadden verlaten. De familie sprak zich hierover niet uit. Waren ze vertrokken uit vrees voor een bijltjesdag? Uit angst voor een afrekening door jonge, gewapende Indonesiërs met landgenoten die met de Hollandse koloniale overheersers hadden samengewerkt? Aan de jonge Lily waren de dekolonisatie van Nederlands-Indië, de bittere strijd en politieke onrust nagenoeg voorbijgegaan. Zij was niet in politiek geïnteresseerd en richtte zich vooral op haar zangstudie.

Lily en Amir spraken gewoon Nederlands met elkaar. Ze maakten lange wandelingen door het historische centrum van Utrecht. Vaak maakte hij grapjes; hij sprong bijvoorbeeld rond als een kikvors om haar aan het lachen te maken, waarna ze schaterend achter hem aan rende. Ze waren verliefd en uitgelaten. Ze verkeerden in een gelukzalige roes en hadden zich zelden zo goed gevoeld. Ze gingen veel uit, dronken koffie op een terras en hadden lange gesprekken. Soms gingen ze naar de film of naar een toneelvoorstelling in de schouwburg. Bij een schiettent op de kermis schoot Amir met een windbuks midden in de roos. Als trofee ontving hij een wollig konijntje dat hij thuis aan zijn zusje Freda gaf. Ze was er heel blij mee.

'Wat een goed schot', zei Lily, 'waar heb je dat geleerd?'

Natuurlijk vertelde Amir allerlei verhalen over zijn jeugd in het vooroorlogse Nederlands-Indië. Hij bezat al op jonge leeftijd, zoals alle Indische jongens, een gevorkte houten katapult, die hij zelf had gemaakt. Later kreeg hij zijn eerste windbuks, een klein kaliber 4.5mm-wapen, waarmee hij op vleermuizen schoot die zich aan de overkant van de straat onder de brede, uitstekende daklijsten van de oude koloniale huizen ophielden. Eens richtte hij zijn wapen op een grote donkerbruine glanzende kakkerlak. Hij vuurde van heel dichtbij op het insect, viel pardoes achterover van de bank waarop hij stond en kwam op de harde grond terecht. In de lange, smalle tuin achter zijn huis oefende hij met zijn windbuks op blikjes en zelfs op brandende kaarsen. Hij was gek op het uitschieten van de onrustig wakkerende vlammen.

Zijn andere passie was jagen op klein wild, waarvoor hij een oud jachtgeweer gebruikte. Met zijn Javaanse buurjongen Karto en de hond Tim ging hij vaak jagen op tortelduiven, die iets kleiner zijn dan de Europese houtduif, en die in zwermen op de geoogste rijstvelden afkwamen. Tegen het eind van de middag namen ze hun posities in. De hond Tim haalde de neergehaalde duiven op. Er werd met hun jachtgeweren heel wat afgeknald, maar de jacht duurde meestal niet langer dan een uur. Soms hadden ze het op snippen gemunt die zich ophielden in de natte sawa's. Ze liepen over de smalle *galangans* en pakten de neergeschoten vogels op uit de modderige velden. De buit werd verdeeld onder vrienden en de volgende dag werd een smakelijke wildbraad bereid.

Op een ochtend liep Amir met Karto over de glibberige stenen van een bijna droge rivierbedding. In de steile, hoge oevers zaten ronde gaten van allerlei afmetingen; de twee jongens wisten precies waar de muizen, kikvorsen en slangen hun schuilplaatsen hadden. Zijn vriend zei dat hij zojuist een grote kikvors, die als een lekkernij werd gezien, in een van de gaten had zien wegkruipen. Amir dacht dat daar een addernest schuilging, maar Karto volhardde dat hij een kikvors in de opening had waargenomen. Uiteindelijk stak Amir voorzichtig zijn halve arm in het donkere gat om de kikker te pakken. Vrijwel direct werd hij gebeten door wat een zwarte adder, *ular belundak*, bleek te zijn. Snel bonden ze de harde vezels van een bananenblad om de vreselijk pijnlijke vinger die direct was opgezwollen. Ze wonden ook een strak touw om zijn pols om de bloedtoevoer af te binden: als het slangengif verder zijn lichaam inkwam, kon dat dodelijk zijn. Ze renden naar de dichtstbijzijnde kampong waar een vrouw met een scherp mes een aantal keer diep in zijn vinger sneed, waarna ze het gif zoveel mogelijk uit de wonden probeerde te masseren. Deze snelle maar pijnlijke ingreep redde ongetwijfeld zijn leven. Zijn vriendje Karto schaamde zich voor zijn fout en had later de nog kronkelende slang aan flarden geschoten.

Vliegeren was Amirs andere geliefde bezigheid. Met zijn kleine, ruitvormige, staartloze *lajangan* van dungesneden bamboelatjes die bespannen waren met Chinees rijstpapier, wachtte hij hoog boven de sawa's op de tegenstander die plotseling van achter de klapperbomen aan de sawarand kon opduiken. Hij stond gereed voor een vliegergevecht. Amir beheerste allerlei schijnbewegingen, pijlsnelle zwenkingen en steile duiken. Het vliegertouw was ingesmeerd met een mengsel van fijngestampt glas en lijm, zodat door heel snel vieren en zwiepen van het vlijmscherpe touw de vlieger van de tegenstander kon worden uitgeschakeld.

Lily luisterde aandachtig naar zijn verhalen. Amir was heel galant voor haar en haar ouders. Hij vertelde veel over zijn geboorteland, het exotische, verre Java en zijn toekomstplannen. Steeds vaker deed hij haar allerlei beloftes. Ze zou wonen in een mooi koloniaal huis in een lommerrijke laan in Bandung, dat vroeger vanwege zijn brede boulevards, chique winkels, theaters en imposante art-decogebouwen ook wel 'Het Parijs van Java' werd genoemd. Ze hoefde niet te werken en hij zou ervoor zorgen dat ze niets te kort kwam. De aanwezige bedienden zouden alles doen: koken, wassen, het huis schoonmaken en de tuin verzorgen. Ze kon zich kortom volledig wijden aan haar klassieke muziek en zang. Dat klonk allemaal zeer aantrekkelijk.

De smoorverliefde Lily wilde trouwen met de Indonesische Amir voordat hij weer naar Java zou vertrekken. Haar ouders vonden haar trouwplannen overhaast en wilden hun enige dochter geen toestemming verlenen voor het huwelijk. Ze was nog geen eenentwintig jaar en dus nog minderjarig. Ze probeerden haar op andere gedachten te brengen.

'Het is de droom van deze jonge Indonesiër. Hij wil zo blank mogelijk trouwen. Hij wil je alleen maar hebben om je blanke huid, je blonde haren en blauwe ogen. Maar jouw kinderen worden Indo's, gedoemd om tussen twee culturen te blijven hangen', foeterde haar vader.

'Jullie kijken alleen maar naar zijn huidskleur!', riep de verliefde Lily.

'Mijn dochter is nog te jong en te onervaren om een dergelijk belangrijke stap te zetten', benadrukte haar moeder tegen de charmante Amir.

Lily protesteerde hevig.

'Maar kind toch, Soekarno is aan de macht. Hollanders zijn daar niet meer gewenst. Het is daar sowieso nog een grote chaos', zei haar moeder bijna wanhopig.

Zelfs haar grootvader met zijn Indische verleden bemoeide zich ermee. Hij vroeg zich af hoe ze het in haar hoofd haalde om naar het zojuist onafhankelijk geworden Indonesië te gaan. Opa vertelde niet dat hij als achttienjarige jongeman dezelfde jeugdige verlangens had gekoesterd. In haar dagboek met ruitjespapier en blauwe kaft uitte Lily haar gevoelens:

Ik wilde hem zo gelukkig mogelijk maken. Ik zag vol verlangen
uit naar een nieuw leven. Het leek me heerlijk naar een tropisch

land te gaan. Zoveel nieuwe dingen te zien en te beleven. Vast
overtuigd samen het geluk te vinden.

Lily probeerde zich te houden aan haar belofte tegenover haar ouders om eerst haar studie aan het Utrechts Conservatorium te voltooien. In de tussentijd zou Amir, hij verbleef weer in Bandung, een goed onderkomen regelen, waar ze samen zouden gaan leven. Ze was nog steeds erg verliefd. Amir stuurde haar onophoudelijk lange brieven die ze weer beantwoordde met net zulke lange, hartstochtelijke epistels. Hij wachtte met smart op haar. Ze kon hem niet weerstaan. Ze wilde voortaan met hem samen op Java leven. Ze wilde dat hij helemaal van haar zou zijn. Ruzies met haar ouders eindigden altijd met: 'Ik wil naar Bandung. Ik wil naar Amir.'

In zijn laatste brief schreef hij opgewekt: 'Kom mijn duifje, ons nestje is klaar.' Hij beloofde haar dat ze de muziekschool in Bandung kon bezoeken om haar klassieke studie af te ronden. Deze opmerking gebruikte ze om haar ouders verder onder druk te zetten. Haar verlangen groeide alleen maar en haar brieven werden heftiger van toon. Tot bezorgdheid van haar ouders werd ze steeds magerder en zwijgzamer. Haar onstuimige liefde voor Amir zorgde ervoor dat ze haar opleiding aan het Utrechts Conservatorium abrupt afbrak.

Ze wilde beslist trouwen en naar Java gaan. Haar ouders konden het niet meer aanzien en gaven alsnog toestemming voor het huwelijk en het vertrek naar Indonesië. Uiteindelijk is ze in mei 1951 'met de handschoen' getrouwd.

De benodigde documenten waren opgestuurd. De korte plechtigheid in het stadhuis te Utrecht had een bijna surrealistisch karakter. De Javaanse bruidegom was afwezig en haar ouders werden bekritiseerd door familie en vrienden, die het onverantwoord vonden om een jong meisje naar het onrustige Indonesië te laten vertrekken terwijl ze in Nederland een goede toekomst tegemoet kon zien. Lily twijfelde echter geen moment en noteerde in haar dagboek:

Ik was trots. Ik wist wat ik deed. Alleen Amir gold voor mij. Ik
zou alles aan kunnen. Hij zou me op handen dragen.

De jonge Republiek Indonesië was niet zonder strijd geboren. Duizenden Indische Nederlanders repatrieerden in de loop der jaren naar het vaderland. Zij voelden zich niet meer veilig in de tropische archipel. Tegelijkertijd vertrok een jonge blonde Hollandse vrouw van achttien jaar, zonder begeleiding op weg naar haar sprookjesprins in het verre onbekende Java. Opgetogen verliet ze Nederland in de zomer van 1951 met het luxepassagiersschip Willem Ruys van rederij de Koninklijke Rotterdamsche Lloyd. Zestig jaar eerder, in het voorjaar van 1892, was haar avontuurlijke grootvader, als achttienjarige marinier, naar de Oost vertrokken. Na een emotioneel afscheid op de Lloydkade in het havengebied van Rotterdam riepen haar ouders nog: 'Blijf schrijven.' Ze zwaaiden tot de oceaanstomer uit het zicht was verdwenen. Vanaf de Willem Ruys op de brede Nieuwe Waterweg keek Lily naar het langzaam verdwijnende Nederland met zijn bewolkte luchten en grijze horizon.

Ze wist werkelijk niet waar ze terecht zou komen in de tropen, maar ze had geen spijt van haar beslissing.

Tijdens de lange bootreis zat ze veel op het dek in een ligstoel te lezen en te zonnen. Het ovale zwembad met blauwe tegels lag er rustig bij. Het door het zonlicht spiegelende water deinde mee met de beweging van het schip. Soms ging ze zwemmen in het lauwe water. Eigenlijk was het nogal saai voor een jonge getrouwde vrouw zonder echtgenoot. Ze mengde zich niet tussen de jonge stellen die door multinationals en oliemaatschappijen werden uitgezonden. Ze had aanspraak aan wat oudere Nederlanders die vragen over de voor haar onbekende archipel beantwoordden. Ze vertelde enthousiast over haar Javaanse man en toekomstige leven in de tropen. Een oude planter zei treurig: 'De mooiste tijd is voorbij. We hebben daar niets meer te zeggen. Indië is verloren.' Hij vroeg wat ze zou doen als haar hooggespannen verwachtingen niet uitkwamen. Ze verzekerde hem dat dat uitgesloten was. Ze weigerde zelfs daarover na te denken. Soms dacht ze wel aan haar bedroefde ouders, maar zelf was ze vol goede moed en verlangde ze naar haar geliefde. Ze wilde zingen en muziek maken en mijmerde over haar toekomst op het tropische Java.

Na de Middellandse Zee voer het schip door het nauwe Suezkanaal en de door woestijn omgeven Rode Zee. De temperatuur steeg en het werd steeds warmer, hoewel de Willem Ruys speciaal voor de tropen was ontworpen en veel open dekken en airconditioning had.

In Colombo en Singapore ging een deel van de opvarenden van boord. Na een zeereis van drie weken meerde het ss Willem Ruys, met aan boord nog slechts de helft van de passagiers, aan in de haven van Tandjung Priok bij Jakarta. Het was vroeg in de ochtend. Er waaide een warme lichte zeebries en er hing een bedompte geur van rottend fruit en modder.

Op datzelfde moment voer in tegengestelde richting het zwaarbeladen ss Johan van Oldenbarnevelt langzaam over het donkergrijze water weg uit de drukke haven. Deze 'drijvende slaapzaal' met twee- tot drieduizend repatrianten aan boord zette koers naar het koude Holland. De twee grote lijnschepen begroetten elkaar met een sonor getoeter. Op het overvolle dek zwaaiden de Indische Nederlanders naar de achterblijvers. Ze verlieten gedesillusioneerd het land, hun huis en vrienden. Ze waren bijna alles kwijt. Een koloniale periode van ruim drie eeuwen werd afgesloten.

Toen Lily in Jakarta aankwam, wist ze vrijwel niets af van de nieuwe staat Indonesië. Ze was altijd alleen maar met muziek bezig geweest. Pianospelen en zingen hadden tot nu toe haar leven gevuld. Ze stond bij de reling op het bovenste dek van de Willem Ruys. Op de brede kade, waar een grote bedrijvigheid heerste, zag ze hijskranen, opslagloodsen, containers en halfnaakte havenarbeiders. Indonesische mannen in uniform stonden toe te kijken en kortgeknipte Europeanen in tropenpak kwamen bekenden ophalen. Op de kade stond Amir al enige tijd ongedurig te wachten. Hij tuurde gespannen in het verblindende zonlicht langs de hoge wand van het schip. In de drukte merkte hij haar niet direct op. Pas na een halfuur kwamen de eerste passagiers de loopplank af. Lily was gekleed in een deux-pièces en droeg een hoed met een voile. Een kruier in een blauw overhemd met de letters RL (Rotterdamsche Lloyd) op zijn borst torste haar twee loodzware koffers. Nadat Lily Amir in haar vizier kreeg, zwaaide ze uitbundig. Nu bevond ze zich voor het eerst op Javaanse bodem. Bijna een jaar hadden ze elkaar niet meer gezien. Amir drukte haar stevig tegen zich aan en ze omhelsde hem langdurig. Hij was iets dikker geworden en had donkere baardstoppels. Zijn kakitenue was verkreukeld en zat slordig

'Darling, je ziet er moe uit', zei ze lichtelijk ongerust.

Hij haalde diep adem en sprak op vertrouwelijke toon: 'Alles is geregeld. Het huis is klaar.'

Na de begroeting reed Amir haar in zijn oude landrover met canvasdeuren en hardplastic raampjes van Priok via de rommelige Benedenstad naar de villawijk Menteng, die nog de rust van vervlogen dagen uitstraalde. In de koloniale tijd woonden daar voornamelijk bestuursambtenaren en tegenwoordig had de postkoloniale elite zich hier gevestigd. Ze logeerden bij Amirs oudere broer, waarna ze zouden doorreizen naar Bandung.

Enkele dagen later reden ze in de open jeep via de Puncakpas door het ongerepte berglandschap. Haar blonde haren wapperden in de zwoele tropenwind. Amir was goedgehumeurd en maakte voortdurend grapjes. In Bandung betrokken ze een oud-Indisch woonhuis in een buitenwijk met groene stille lanen.

In het huis met de overhangende brede dakranden bleef het binnen altijd donker. In sommige kamers moest je zelfs overdag het licht aan laten. In het voorste deel van het huis bevonden zich de eetkamer en de salon. Deze vertrekken hadden prachtige vloertegels met ingenieus in elkaar verstrengelde gestileerde bloemmotieven in roestbruin en vanillegeel. Aan de straatkant van deze kamers hadden de bovenste delen van de vensters authentieke glas-in-loodraampjes met helgele en mosgroene bladvormen. De langwerpige woonkamer beschikte over twee openslaande deuren die toegang gaven tot het grote voorerf met terras. Achter deze voorkamers lag een lange smalle gang met drie slaapkamers, een keuken en een badkamer. Aan weerszijden van het huis stonden een garage en een overdekte *gudang*.

De tuin met bloeiende bougainvillea's en melatistruiken met geurige witte bloemen werd omheind door een laag ijzeren hek. In de lanen van deze rustieke woonwijk stonden omvangrijke bomen en de ruime huizen met hun rode dakpannen gingen verscholen achter de weelderige begroeiing van de tuinen. Het was er heel rustig en er reden weinig auto's. Overdag kwamen er venters met een *pikolan*, een zwiepende bamboedraagstok die over de schouder werd gedragen en waaraan aan beide kanten een mand met koopwaar hing. Sjofel geklede en bezwete mannen gingen met karretjes vol groenten, fruit, saté, drankjes en snoepgoed langs de woonhuizen. Iedere passerende verkoper had een eigen herkenbare roep: hoog, laag, monotoon of met uithalen waardoor je hem direct kon herkennen. Later zouden hier kleine schamele *warungs* op de trottoirs en tegen de muren van de huizen worden gebouwd. Voor de boodschappen ging Lily naar grote winkels die zich aan de Braga en de oude Dagoweg bevonden. Er was voldoende personeel in huis; een kokkie, de *djongos*, de wasbaboe en de tuinman. Ze hoefde eigenlijk niets te doen. Het werd haar zelfs sterk ontraden om iets in de huishouding te doen. Lily luisterde veel naar de radio. Ze las het *Algemeen Indische Dagblad* (AID), een voortzetting van de *Preangerbode* uit Bandung. Deze Nederlandstalige krant, die werd gecontroleerd door de Indonesische overheid, bleef bestaan tot de grote 'exodus' van 1957 toen de meeste Nederlanders vanwege de toegenomen onrust Indonesië verlieten.

De jonge levenslustige Lily wilde graag mensen bezoeken en nieuwe vrienden maken. Ze maakte kennis met enkele vriendelijke landgenoten en het lukte haar om met een paar oudere Hollanders een muziekgroepje te vormen, maar eigenlijk maakte Amir bezwaar tegen deze informele bijeenkomsten. Op iedereen was volgens hem vanwege de politieke toestand wat aan te merken en ze ging vaak met betraande ogen naar de repetities.

Lily was afkerig van politieke intriges en had zich niet verdiept in het Soekarnobewind. De Indonesische schoonfamilie had haar ook niet ingewijd in de conventies en geheimen van het land. Amir vertelde haar vooral wat niet meer was toegestaan: ze mocht zich niet te westers kleden en gedragen. Ze diende zich zonder voorbehoud aan te passen aan de Indonesische samenleving.

Hij merkte cynisch op: 'Wil je net zo worden aangekeken als die Hollandse kliek hier? Die kan alleen dansen en zuipen in Grand Hotel Homann.'

Ze probeerde zo snel mogelijk Indonesisch te leren. 'Nederlands is de taal van de koloniale onderdrukker', had Amir fel gezegd. Soms wilde ze gaan zwemmen, maar dat werd haar ook door haar man ontraden en zelfs verboden. Verblind door de liefde begreep ze die plotselinge omwenteling niet. Ze kon het moeilijk accepteren maar gaf toe aan de wensen van haar kersverse en licht ontvlambare echtgenoot. Noodgedwongen bleef ze veel meer thuis dan haar lief was. Af en toe kwam haar Hollandse overbuurvrouw Ada op theevisite. Ze had een mooi gevormd gezicht met bruine ogen en hoog opgestoken haar. Ze droeg altijd een parelcollier om haar slanke hals. Haar man werkte op het hoofdkantoor van de Koninklijke Paketvaart Maatschappij (KPM) in Jakarta en was bijna nooit thuis. Ze woonden al een paar jaar in Bandung en hadden een zoon, Keesje, die op de lagere school zat. De zachtaardige Ada zei: 'Je hebt het idee dat het land nu echt van hen is. En terecht. Ze zijn innerlijk beschaafd. Het is niet zo van jullie hebben hier niets meer te zeggen.'

Lily vertrouwde haar buurvrouw toe dat ze al Indonesisch staatsburger was geworden. Ada vond dat te ver gaan.

'Kind toch, een Hollandse familie die ik goed ken, is ook Indonesisch staatsburger geworden. Ze worden nu met de nek aangekeken door de Hollanders én de Indonesiërs.'

Lily keek verbaasd en begreep het niet.

'Vooral de kinderen hebben het zwaar te verduren op school', zei Ada ontstemd.

In haar dagboek noteerde ze haar intiemste gedachten:

De eerste twee maanden waren we echt gelukkig. Zodra hij thuiskwam van zijn werk bedreven we de liefde; 's middags naar bed en 's avonds naar bed! Na twee maanden huwelijk was ik zelf teleurgesteld dat ik nog niet in verwachting was. De komst van een baby zou alles nog beter maken. Ofschoon mijn moeder had gewaarschuwd: wacht eerst een poosje met kinderen krijgen.

Toch raakte ze al na drie maanden zwanger. Ze was dolgelukkig. Soms gingen ze samen of met anderen naar de bioscoop en een enkele keer maakten ze een uitstapje met de auto naar het hoger gelegen, koele plaatsje Lembang. Op negentienjarige leeftijd beviel ze van haar zoon Guntur. Lily had met de hand de babykleertjes genaaid en geborduurd. Ze bleef veel bij de baby en haar schoonmoeder Wilhelmina kwam af en toe op visite. Amir leidde buitenshuis een leven waar ze geen toegang meer toe had. Naar haar ouders schreef ze opgewekte brieven over haar leven. Haar verlatenheid, verveling en de strubbelingen met haar echtgenoot hield ze goed verborgen. Ze klampte zich vast aan de verwachting dat het tijdelijk was en hij alsnog zou veranderen.

Op een zwart-witfamiliekiekje met gekartelde rand, dat ze aan haar moeder zond, zit de jonge Lily met haar baby Guntur op een rotanstoel in de tuin van haar huis in Bandung. Ze draagt een katoenen zomerjurk met stippen en heeft een gevlochten blonde haarstreng bovenop haar hoofd. Moeder en kind kijken gelukkig in de camera.

Elke dag reed de nieuwsgierige Chinese buurman, die verderop in de laan woonde, met zijn auto langzaam langs hun huis. Hij bleef vaak lang staren naar de blonde Lily als ze zich met baby Guntur in de tuin bevond. Op een keer liet ze zich ontvallen dat die buurman altijd zo indringend naar haar keek. Toevallig hoorde Amir het waarop hij direct zijn revolver pakte en zich naar de Chinees spoedde. Hij verbood hem om nog langs hun woning te rijden en verplichtte hem voortaan een andere route nemen. Deze affaire bracht haar in verlegenheid, zo had ze het niet bedoeld.

Het was een roerige tijd. Er werd behoorlijk *gerampast* in de betere wijken van Bandung. Bij haar buurvrouw Ada werd met een klein blaaspijpje door het bamboe zonnescherm van de slaapkamer een poeder van giftige kecubungzaden geblazen. Binnen enkele minuten raakte ze totaal verdoofd. De inbreker kreeg de deur open en nam alles mee. Ada werd 's morgens wakker uit een diepe slaap en ontdekte wat er was gebeurd: alles, van haar lingerie en haar jurken, tot het meubilair en de schilderijen was verdwenen. De insluiper had slechts één slipje laten liggen. De prachtige hardhouten doos waarin ze haar bijouterieën bewaarde, vond ze later weer terug op de pasar. De juwelen bleven spoorloos.

Zelf kwam de jonge Lily steeds minder buiten en haar buurvrouw werd haar venster op de vreemde, onbekende Indonesische wereld. Soms werd de sfeer naargeestig. Ada, die vaak alleen thuis en behoorlijk angstig was, vertelde dat er een paar avonden eerder een man op haar terras had gelopen. Ze had hem vriendelijk bejegend en gevraagd of hij wilde roken. Ze had hem een sigaret gegeven, waarna hij snel was verdwenen. Soms zaten mensen aan de voorkant van hun huis rustig wat te drinken op hun veranda terwijl aan de achterkant de spullen werden weggehaald.

Een paar dagen nadat ze de man op haar terras had aangetroffen, zei Ada bezorgd: 'Er is weer een blanke vermoord.' Op de school van haar zoon was een kind uit de klas gehaald. Later kwam de jongen lijkbleek terug; zijn vader was op een afgelegen theeplantage buiten Bandung omgebracht. Voormalige *pemuda's* waren op zoek gegaan naar de hardvochtige opzichter van deze theeonderneming, een man die in het verleden het personeel had geïntimideerd en soms geslagen. Ze hadden de man niet kunnen vinden en in zijn plaats de zachtaardige vader van de jongen, een broer van de ploerterige opzichter, gepakt en omgebracht. Deze man was wel altijd goed met de Sundanese theepluksters en de arbeiders van de theefabriek omgegaan.

Haar buurvrouw vertelde Lily over een gebeurtenis die ze een paar jaar eerder had meegemaakt. Op een maandagochtend eind januari 1950, toen ze boodschappen deed in de buurt van de voormalige Grote Postweg, werd ze opgeschrikt door scherp knallend geweervuur. Ze had zich uit de boekhandel van Van Dorp gehaast en een schuilplaats gezocht in de grote Club Concordia. Haar zoon Keesje zat op school in de Riouwstraat. Dit gebouw werd onmiddellijk door het schoolhoofd ontruimd. De kinderen uit Zuid-Bandung mochten vanwege de gevaarlijke situatie niet meer naar huis. Ze liepen haastig mee met de andere kinderen naar hun woningen in het relatief veilige Noord-Bandung. Ze moesten daar in huis wachten op verdere instructies. Keesje kwam thuis met een paar schoolvriendjes en werd door de bediende binnengelaten. Onderweg hadden ze dode Indonesische soldaten gezien met een klein rond gaatje in hun bloedende voorhoofd; ze waren door scherpschutters uitgeschakeld. De Europese bevolking bleef binnen en sloot uit voorzorg ramen en deuren. Kapitein Raymond Westerling – oud-commandant van het Korps Speciale Troepen die verantwoordelijk was voor de contraguerrilla en het buitensporige geweld in Zuid-Celebes in 1946/1947 – had met zijn strijdgroep, bijgenaamd Het Leger van de Rechtvaardige Vorst (in het Indonesisch afgekort tot APRA), een aanval op Bandung ondernomen. Ze wilden een coup tegen Soekarno plegen.

's Morgens vroeg reden een paar honderd Ambonese commando's in jeeps tegen het verkeer in van de populaire winkelstraat, Jalan Braga. Ze beschoten het verderop gelegen hoofdkwartier van het Indonesische leger en konden kort daarna doordringen tot dit zwak verdedigde kantoor, waar ze een heilloos bloedbad onder het administratieve personeel aanrichtten. De slecht georganiseerde overval mislukte echter en de coupplegers werden gearresteerd. Westerling – de gehate staatsvijand van de Indonesiërs – dook onder en ontsnapte met een Catalina, een watervliegtuig van de Nederlandse Marineluchtvaartdienst naar het buurland Maleisië. Deze pijnlijke affaire zette de verhouding tussen het zelfstandige Indonesië en Nederland verder onder druk.

In die tijd provoceerden Indonesische jongeren die hadden deelgenomen aan de vrijheidsstrijd de (Indo)Europeanen die ze op straat tegenkwamen. Ze scholden hen uit voor *Belanda busuk*. Soms bedreigden ze hen door een pistool onder hun neus te houden.

Indische Nederlanders met een Europese naam en achtergrond werden geboycot en konden nog maar moeilijk aan een baan komen. Soms werden hun kinderen gekidnapt en vroegen de ontvoerders losgeld. Soms werden ze geïntimideerd en uit hun huizen verjaagd. De positie van de (Indische) Nederlanders, een kwetsbare minderheid, werd steeds hachelijker en het gevoel van onveiligheid nam toe.

Ook binnenskamers namen de wrijvingen toe. Amir vond dat Lily niets te kort kwam.

'Het gaat niet om kleren en sieraden. Ik heb een kast vol met jurken. Laten we eindelijk elkaar leren begrijpen en respecteren', zei Lily. 'We moeten meer met elkaar praten en meer samen doen.' Amir leek niet gevoelig voor haar kritiek.

De kleine Guntur werd ook vaak boos als hij zijn zin niet kreeg. Dan raakte hij in een stuip. Soms duwde Lily hem vertwijfeld met zijn hoofd in het koude water van de mandibak. Door de schrik kwam hij weer bij zijn positieven, waarna hij in een diepe slaap viel.

Af en toe ging ze met Freda, het knappe jonge zusje van haar man, heimelijk naar een matineevoorstelling in de oude Majesticbioscoop, een art-decogebouw op de Braga.

In 1954 werd hun tweede kind, dochter Nana geboren. Ze had een zwarte haardos, mooie donkere ogen en een bruine huidskleur. Ze werd Amirs oogappel. Over deze tijd schreef Lily in haar dagboek:

Ik kreeg meer kans om eens ergens naartoe te gaan. Hij kwam soms uit Jakarta met dure cadeaus thuis. (…) Toch voelde ik me nogal eenzaam en verdrietig. Ik stond alleen voor de opvoeding van mijn kinderen. Meestal ging ik al vroeg naar bed. Soms kwam mijn Indonesische schoonmoeder op bezoek. Maar ik had geen echte vriendinnen om mee te praten of iets te bezoeken.

In 1955 – enige tijd na de dood van zijn Hollandse schoonvader Jan – had Amir zijn schoonmoeder Else uitgenodigd. Ze ging haar dochter voor de eerste keer in Indonesië bezoeken. Eindelijk kon ze haar kleinkinderen bewonderen die ze tot dan toe alleen op foto's had gezien. In haar dagboek merkte Lily op: 'Wat fantastisch, lief en goed van hem. Maar hoe gedroeg hij zich toen mijn moeder hier logeerde? Wat moest ik altijd mijn best doen om te zorgen dat hij niet zuur keek. Wat moest ik smeken dat hij in haar gezelschap gewoon deed.'

In de namiddag zaten Lily en haar moeder vaak te praten op het schaduwrijke terras of ze gingen wandelen en spelen met de kinderen. Haar moeder was onder de indruk van Lily's riante leven en haar twee peuters in Bandung. Ze merkte niets van de onderhuidse spanningen.

'Wat heb ik de schijn moeten ophouden.'

's Nachts lag ze vaak nog lang wakker. Ze durfde haar moeder niet op de hoogte te stellen van de werkelijke gezinssituatie en het ambivalente gedrag van haar echtgenoot. Na vier weken vertrok haar moeder in de overtuiging dat Lily een comfortabel leven en een lieve man had. Ze zouden elkaar blijven schrijven.

In 1956 werd haar jongste dochter Dewi geboren, een blanke blonde baby. Lily had weer zelf de babykleertjes gemaakt, maar haar kinderen werden grotendeels door de baboes verzorgd. Toen de kinderen de leeftijd hadden om naar de kleuterschool te gaan, werden ze elke dag met een *becak* gehaald en gebracht. Ze stapten met zijn drieën in de fietstaxi die langzaam door de rustige lanen van de buitenwijk naar de school reed. De becak-man werd per week betaald en kwam altijd stipt op tijd. Later bracht Lily haar kinderen zelf met de scooter naar de katholieke lagere school in Bandung. Met wapperende loshangende haren en in een zomerjurk reed ze door de groene buitenwijken. Voorop stond de kleine Guntur en achterop zaten de meisjes die elkaar stevig vasthielden. Ze voelde zich vrij en gelukkig. En er kwamen meer vrienden en kennissen over de vloer.

In de weekends bracht hij altijd logés mee. Omdat hij overwicht had op de meeste van zijn vrienden, ging het nogal goed. Maar toch verlangde ik ook naar eigen vriendinnen die iets meer in mijn lijn lagen. Die mij iets konden meegeven. Hij was erg goed voor zijn vrienden, was altijd bereid te helpen en een poos later begon hij er zelfs plezier in te krijgen om met de hele groep naar de bioscoop te gaan of een reisje te maken naar het meer van Lèlès of de Puncakpas.

Geleidelijk aan kwam Lily in contact met meer mensen en ze voelde zich minder buitengesloten. Ze leerde het Indonesisch, tegelijk met haar kinderen op school. De taal sprak ze steeds beter. Elke dag speelde ze zachtjes op een huurpiano. Daarna haalde ze de kinderen weer op van school en dronken ze glazen *cendol*. Soms organiseerde ze kinderfeestjes in de tuin. Er werden limonade en Indische koekjes uitgedeeld. Op verjaardagen kregen de kleine kinderen zelfgemaakte mutsjes met een elastiekje onder de kin. Ze deden spelletjes, zoals geblinddoekt kroepoek happen en met een knikker op een lepel in de mond een hardloopwedstrijd houden. Wie de finish haalde, ontving een cadeautje zoals een schrift, pen of kleurpotloden.

De jonge Guntur leerde *pencak silat*, een Indonesische vechtsport. Hij deed mee aan voorstellingen in het Bandungse gouverneurshuis.

's Avonds als de kinderen op bed lagen, las Lily de krant of luisterde naar de programma's op de radio. Er was nog geen televisie.

Op een keer had Lily een Sundanese familie te logeren van wie de dochter plotsklaps bezeten raakte: ze deed haar haren los, grinnikte heel raar en rende naar de badkamer waar ze haar hoofd in het koude water van de mandibak wilde stoppen. Opeens liet ze zich loodzwaar vallen. De mannen konden haar nauwelijks dragen. Haar mond zat dicht geklemd en haar handen waren verkrampt. Pak Abu, de *dukun*, een inheemse dokter en geestenbezweerder, werd erbij gehaald. Zijn oogwit was wazig geel gekleurd en hij had een in de verte starende blik. Hij zei: 'Ze is *kesambet*. Ik kom vanavond terug. Zorg voor een rode lange *kaïn*, houten open klompjes en een *kendi*.'

's Avonds werd het meisje in de rode lap gewikkeld. Ze was nog steeds helemaal verkrampt. Op dringend verzoek bleef iedereen in de salon. Het meisje werd uit het huis naar de tuin geleid. Bij de ingang naar het terras was de aardewerken pot met water, geurstoffen en bloemen opgehangen. De pot werd kapotgeslagen en de vloeistof stroomde over het lichaam van de bezetene. Het meisje begon vreemd te gillen met een onherkenbare stem. Na de behandeling werd ze naar binnengebracht. Ze glimlachte verlegen naar de omstanders. Alles leek weer in orde, maar vervolgens raakte een bediende die stiekem had toegekeken ineens bezeten. Hij had niet geluisterd en de regels genegeerd. Het kwaad was overgesprongen. Pak Abu sloeg hem op zijn rug met een *sapu lidi*: 'Ga weg, Satan', mompelde hij. Hij wachtte even en zei het toen opnieuw, duidelijker en harder. De jongen ontspande zich.

Pak Abu deed ook andere behandelingen. Zo haalde hij de amandelen zonder operatie uit de keel van kinderen. 'Er was zelfs geen spoor van bloed te zien', zei Lily. Dewi had een wratje bij haar oor. Ze jengelde tegen Pak Abu: 'Ajo, help me dan ook.' Hij deed zijn hand erop en de wrat was helemaal weg. 'Doe er maar een beetje suiker op', zei hij glimlachend. De vrouw van een hoteleigenaar had een vreemde donkere bobbel op haar

49

neus. Ze vroeg Pak Abu om hem te verwijderen. Ditmaal zei hij rustig: 'Ik kan er niets aan doen.'

Soms bracht Pak Abu op verzoek van vrouwen heel kleine *susuks* bij hen onder de huid aan. Ze werden bijvoorbeeld rond de ogen of bij de borsten aangebracht en het doel ervan was om bepaalde mannen aan te trekken en te verleiden.

In de jaren vijftig kon Amir altijd een beroep doen op zijn loyale vrienden bij het leger, die allen topposities bij de Siliwangi-divisie hadden. Freda, zijn jongste zus, was getrouwd met majoor Soepardi, de latere generaal, militair attaché en ambassadeur. Daarnaast werden Amir en Lily geregeld uitgenodigd bij majoor Mashudi, de latere gouverneur van West-Java. De majoor en zijn vrouw op hun beurt kwamen op gezette tijden op visite in hun Bandungse woning. Soms zat Lily's jongste dochter Dewi ongedwongen op schoot bij generaal Ibrahim Adjie, commandant van de geduchte Siliwangi-divisie op West-Java. Lily leerde ook majoor Djoehro kennen. Het was algemeen bekend dat de majoor, die altijd een bril met getinte glazen droeg, voor de INTEL werkte, de Indonesische geheime dienst. Hij woonde dicht bij de familie aan de Dagoweg in Bandung. Hij had in zijn achtertuin drie Hollandse roodbonte koeien met de namen Klazina, Johanna en Anna rondlopen. Zo was er elke dag verse melk. De charmante en intelligente Amir speelde ook een rol bij de INTEL. Hij raakte betrokken bij het bestrijden van de fundamentalistisch-islamitische Darul Islam-beweging (Rijk van de Islam) en haar leider Kartosuwirjo. De radicaal-islamitische strijders met hun groene hoofdbanden, die hun basis hadden in het bergachtige West-Java, streden voor een islamitische staat. Ze voerden nachtelijke aanvallen uit en legden landmijnen, waardoor onder andere de kronkelende autoweg van Bandung naar Jakarta door de bergen gevaarlijk was geworden. 's Nachts werden er overal hinderlagen gelegd. Zelfs overdag moest in konvooi worden gereden. Pantservoertuigen met Indonesische soldaten van het regeringsleger TNI reden voor de veiligheid mee.

Jarenlang bleven door het optreden van deze geduchte islamitische beweging grote delen van het platteland onveilig. Darul Islam-aanhangers pleegden ook in de steden aanslagen tegen het, in hun ogen, 'goddeloze' Indonesische gezag. Fanatieke islamitische jongeren deden in november 1957 zelfs een aanslag op president Soekarno door handgranaten naar hem te gooien toen hij een school in de wijk Tjikini in Jakarta bezocht. Een tiental kinderen werd gedood of raakte gewond, maar Soekarno bleef ongedeerd. Er was eigenlijk sprake van een burgeroorlog. Amir vertelde Lily niets over zijn werk voor de inlichtingendienst. Als Europese vrouw werd ze nergens bij betrokken, omdat dat te riskant was. Wel schreef ze in haar dagboek:

Intussen bleef hij INTEL-werk doen. Daar had ik niets mee te maken. Amir deed vele dingen tegelijk, werkte voor zichzelf, voor het land en heel vaak reisde hij naar Jakarta. Hij gaf leiding aan een team. Meestal jongelui zoals luitenants, kapiteins en inspecteurs van politie en nog wat onduidelijke figuren. In de hoge regionen had hij ook veel vrienden; regeringsfunctionarissen en politici. We kregen bijvoorbeeld generaals van bepaalde diensten of de minister van Rechtszaken Gustaaf Maengkom wel eens op bezoek.

Maengkom was rechter geweest tijdens het showproces in 1955 tegen Leon Jungschläger, oud-hoofd van de NEFIS, de Nederlandse militaire inlichtingendienst in Indië. Dit was nog een nasleep van de mislukte coup van Westerling in Bandung. Later werd hij minister van Justitie.

In allerlei koffiehuizen, restaurants en clubs in het onrustige Jakarta van de jaren vijftig ontmoette Amir militairen en ambtenaren, de nieuwe machthebbers. In verschillende kringen had hij zo zijn connecties.

Vooral in de Darul Islam tijd had hij het erg druk. Hij ging soms drie keer per week op en neer naar Jakarta. Soms bleef hij

dagenlang weg. Dan kwam hij plotseling met collega's midden
in de nacht thuis om enkele dossiers op te halen. Daarna
vertrokken ze weer direct. Ik wist hoe hard hij werkte voor de
toekomst van zijn land.

De branieachtige Amir hield zich vooral bezig met het verzamelen van informatie, het voorkomen van gezagsondermijnende acties en het opsporen van islamitische strijders.

Zijn schimmige verleden als inlichtingenofficier is nooit helemaal opgehelderd. Lily werd overal buiten gehouden. Over de Indonesische inlichtingendienst en zijn onzichtbare oorlog tegen de Darul Islam in de jaren vijftig van de vorige eeuw is tot nu toe weinig onthuld. In ieder geval had het Indonesische leger grote moeite deze beweging tegen te gaan. Pas na het inzetten van de elitetroepen van de Siliwangi-divisie werd in juni 1962 de onverzoenlijke leider van de Darul Islam met een aantal medestrijders gepakt. Kartosuwirjo werd uiteindelijk door een vuurpeloton geëxecuteerd. Daarmee was het islamitische verzet op West-Java voorlopig gebroken.

De politieke en relationele spanningen liepen soms gelijk op. Het gezin telde niet echt meer voor Amir die voortdurend aan het werk was en zich thuis nog maar zelden liet zien. De relatie tussen Amir en Lily werd steeds kwetsbaarder. De bijgelovige Amir droeg altijd een riem van gevlekt tijgervel tegen het dreigende gevaar. Hij raadpleegde ook regelmatig een *dukun*, die in de buurt van het christelijke kerkhof Pandu in Bandung woonde. Deze spirituele 'dokter' leverde op verzoek ook jonge maagden uit de kampong, daarnaast onderhield hij contacten met de geestenwereld.

'De geesten van de voorouders kunnen ongelukken voorkomen en voorspoed brengen', zei Amir vol overtuiging. Elke donderdagavond onderhield hij contact met de geest van zijn overleden geliefde, oudere broer. Hij sloot zich daarvoor op in zijn studeerkamer.

In een kleine *anglo* smeulden wierook en harsblokjes. Hij zette zijn broers favoriete drank, een glas koude jonge jenever, klaar. Zelf dronk Amir nooit alcohol.

Gebeden, offers en welriekende geuren moesten de geest van zijn broer, die bemiddelde tussen mensen en goden, gunstig stemmen zodat onheil zou worden afgeweerd.

Zijn dochter Dewi vertrouwde me toe dat ze wel eens heimelijk aan de gesloten kamerdeur had geluisterd. Ze hoorde duidelijk twee mannen een hele tijd hardop in het Nederlands praten en lachen. Na afloop van de seance ging de huisbediende naar binnen.

'Het lege jeneverglas stonk naar zwavel', fluisterde ze verlegen.

Amir was animist, maar als de omstandigheden dat vereisten ook wel moslim en soms christen. Lily zei altijd dat hij 'chrislam' was. Voor zijn veiligheid, geluk en het bestendigen van zijn machtspositie liet hij zich grotendeels leiden door zijn spirituele adviseur. Achter de zelfverzekerde Amir school een nogal onzekere, zelfs angstige man. Hij viel op door zijn lichtgekleurde uiterlijk en rijzige gestalte. Zijn Indische afkomst hield hij nauwlettend verborgen. Het dagelijkse overleg met zijn collega's van de militaire inlichtingendienst was voor hem even belangrijk als de mystieke communicatie met de geestenwereld. Werkelijkheid en magie liepen door elkaar. Soms levert dat een giftige cocktail op.

De exodus

Een bevriende familie, de Van de Lindens, woonde in de jaren vijftig in een splinternieuwe woning met zwembad in een moderne woonwijk te Wonokromo buiten Surabaya. De echtgenoot was geoloog en gestationeerd bij een raffinaderij van de Bataafsche Petroleum Maatschappij (BPM) te Wonokromo, die tijdens de oorlog door de geallieerden was gebombardeerd. Hij deed regelmatig onderzoek naar nieuwe olievelden in Oost-Java. Soms was hij wekenlang afwezig. Zijn vrouw Betsy bleef vaak alleen thuis met haar baboes, kokkie, de tuinjongen en de chauffeur. Met het personeel ging ze vriendschappelijk om. Baboe Iti verzorgde haar drie kleine kinderen. Iti was christelijk gedoopt en woonde met haar man in een nabijgelegen kampong. De jonge islamitische chauffeur had maar liefst drie vrouwen. 'Hij voelt zich heel belangrijk maar het is een vervelende en verwende jongeman', zei baboe Iti die een eenvoudig christelijk kruisje om haar hals droeg.

Het dagelijkse leven verliep vrij rustig. In het weekend reed Betsy met haar man en kinderen in de Ford Cabriolet over de smalle weg naar het koele bergoord Trètès, waar de familie een bungalow huurde. Tijdens bloedhete dagen werden de kinderen, onder toezicht van de baboes, in deze koele, zuivere bergstreek ondergebracht. Door de tropische temperatuur en de hoge vochtigheid hadden ze last van astma en bronchitis. 's Avonds reden Betsy en haar man vanuit Trètès door de bergen terug naar de laagvlakte en de havenstad Surabaya.

Er waaide dan vaak een milde wind. Soms dook uit het duister een langzaam rijdende ossenwagen op, die de doorgang op de smalle weg blokkeerde. In Wonokromo aangekomen, namen ze snel een douche. Opgefrist vertrokken ze vervolgens naar de fraaie Simpangclub, gelegen naast de oude gouverneursresidentie, om cocktails te drinken en plezier te maken met vrienden. Geleidelijk aan werd het stiller in de sociëteit omdat steeds meer Hollanders repatrieerden.

De stemming werd grimmiger door de oplopende politieke spanningen over Nieuw-Guinea, Nederlands laatste koloniale bastion in de Oost. President Soekarno vroeg bij de Verenigde Naties begrip voor de Indonesische aanspraak op dit omvangrijke tropische eiland. Maar de Indonesische VN-resolutie over dit vraagstuk behaalde niet de noodzakelijke tweederdemeerderheid. Nederland benadrukte vooral het zelfbeschikkingsrecht van de Papoea's. Soekarno beweerde dat hij de Papoea's wilde bevrijden van het koloniale juk. Nieuw-Guinea stond in het brandpunt van zijn buitenlandse politiek. Dankzij de weinig buigzame persoonlijkheden van zowel Soekarno als de Nederlandse minister van Buitenlandse Zaken Joseph Luns leek het bijkans onmogelijk om tot een diplomatieke oplossing te komen. Soekarno's anti-Nederlandse retoriek werd steeds krachtiger en zijn opzwepende redevoeringen waren via de radio in de hele archipel te beluisteren.

In het najaar van 1957 begon een officiële campagne voor 'de bevrijding van Irian Barat' die zich richtte tegen de Nederlanders en Nederlandse bezittingen in de hele archipel. De Nieuw-Guineakwestie werd een slepend politiek conflict, een achterhoedegevecht met een explosieve uitwerking.

Op een zwoele avond in november 1957 werd de Europese wijk te Wonokromo opgeschrikt door tumult. Eerder al waren er hatelijke leuzen met rode verf op de muren van huizen gekalkt en auto's bekrast. Nu schreeuwde een menigte opgeschoten Indonesische jongens met groene banden in het haar leuzen als 'Hollandse honden rot op'. Sommigen hadden fakkels, gemaakt van stokken en oude katoenen lappen die in de olie of teer waren gedrenkt. Er werd opgewonden met deze brandende toortsen en met lange bamboestokken met scherpe punten gezwaaid.

Schimmen van rennende mensen op straat waren nog net zichtbaar door de dichte struiken en de bomen in de tuin. Het personeel van de familie sloot uit veiligheidsoverwegingen het ijzeren tuinhek en de houten luiken. De kinderen zaten angstig in de zachte fauteuils in de woonkamer. Het geschreeuw werd steeds luider en fanatieker. Baboe Iti rende naar boven en waarschuwde haar blanke mevrouw voor het dreigende gevaar van *rampokkers*. Het was beter dat ze zo snel mogelijk met de kinderen vertrok. Haar man was nog op de olievelden buiten Surabaya. Betsy pakte meteen een tas en propte die vol met wat kleding, papieren en foto's. Het straattumult drong nu duidelijker het huis binnen. Resoluut pakte baboe Iti het jongste kind, Myra, bij de hand. Via de achterdeur, de dichtbegroeide tuin en het smalle onverharde pad verlieten ze Wonokromo in de duisternis. Na anderhalf uur lopen bereikten ze, de kinderen hadden zich al die tijd muisstil gehouden, een buitenwijk van Surabaya. Uitgeput kwamen ze aan bij het huis van een bevriende Indonesisch-Chinese zakenman. De volgende ochtend meldden ze zich bij het Nederlandse consulaat in het stadscentrum. Ze waren gedwongen afscheid te nemen van hun geliefde baboe, die het jongste kind Myra jarenlang had verzorgd en gekoesterd. Krampachtig hield ze het kind tegen haar borst aangeklemd en leek niet van plan het los te laten. Betsy omhelsde de baboe, kuste haar en nam kalm afscheid met de woorden: 'Jij bent mijn liefste zuster. Ik zal altijd aan je blijven denken.' Iti liet het kind los en lachte door haar tranen heen.

Een week later vertrokken Betsy en haar kinderen met het passagiersschip Willem Ruys definitief uit het dierbare Indonesië. De boot, die was volgepakt met Nederlandse en Indische repatrianten, voer langzaam uit de haven Tandjung Priok bij Jakarta. Betsy is haar trouwe baboe Iti niet vergeten, maar heeft haar nooit meer gezien.

Uitgerekend op Sinterklaasavond 1957, sindsdien 'Zwarte Sinterklaas' genoemd, werd door minister van Justitie Maengkom aangekondigd dat alle Nederlanders zo spoedig mogelijk Indonesië moesten verlaten. Er heerste al grote onrust onder deze landgenoten, die nog een behoorlijke invloed op de economie hadden. Ze vervulden vaak kaderfuncties bij grote bedrijven en dachten dat ze economisch onmisbaar waren hoewel ze steeds meer tegenwerking ondervonden.

Het overgrote deel van de Indische Nederlanders dat nog in Indonesië verbleef, onder wie lagere ambtenaren, middenstanders en gepensioneerden, was daar geboren en opgegroeid. Ze waren na de Japanse bezetting en de gevaarlijke Bersiaptijd ondanks de steeds moeilijker wordende omstandigheden gebleven. Nu moesten ze alles achterlaten en vertrekken naar het verre Nederland. Een paar dagen eerder waren al Nederlandse ondernemingen 'overgenomen'. Het Indonesische personeel verdreef de Nederlandse leidinggevenden. Grote groepen opgewonden Indonesische jongeren trokken door de straten. Met rode verf werd op de voorgevel van gebouwen 'milik R.I.' geschreven: bezit van de Republik Indonesia. In korte tijd werden de Nederlandse kantoren, fabrieken en banken genationaliseerd. Ook het hoofdkantoor van de Koninklijke Paketvaart Maatschappij, het symbool van de Nederlandse aanwezigheid in de archipel aan het Merdekaplein in de hoofdstad, het voormalige Koningsplein, werd bestormd. Ada's echtgenoot kon met een paar collega's nog op het laatste moment via de stenen tuinmuur van een aangrenzend pand ontkomen. Haastig nam de buurvrouw afscheid van Lily.

'We moeten zo snel mogelijk naar Jakarta afreizen', zei Ada nerveus.

Lily staarde haar verbouwereerd aan. Halsoverkop vertrok Ada met haar zoon Keesje. Ze had zoveel mogelijk bezittingen in een leren koffer gestopt en voegde zich bij haar man om te worden gerepatrieerd.

In de grote steden op Java werden Nederlanders nu geweerd uit restaurants, bioscopen en andere openbare gelegenheden. Kranten en tijdschriften in de Nederlandse taal mochten niet meer verschijnen.

Het Nederlands werd zelfs verboden. In de winkels en benzinestations werden Nederlanders niet meer geholpen en van het openbaar vervoer mochten ze geen gebruik meer maken. Hun auto's werden onbruikbaar gemaakt door de banden lek te steken of door te snijden.

In Nederland reageerde men geschokt op de gebeurtenissen. 'Zwarte Sinterklaas' beheerste de voorpagina's van de landelijke dagbladen. Minister van Buitenlandse Zaken Luns vergeleek de explosieve situatie met de eerste dagen van de Russische revolutie van 1917.

Er kwam een ware exodus op gang. Tienduizenden (Indische-) Nederlanders die soms alleen handbagage konden meenemen, werden eerst naar Singapore verscheept en in tijdelijke kampementen ondergebracht. Vanuit deze havenplaats vertrokken ze naar Nederland. De KLM werd verboden om nog te landen op Indonesische bodem. Zelfs de Nederlandse consulaire posten werden gesloten. De archieven die niet konden worden meegenomen werden vernietigd, talrijke dossiers werden verbrand. Veel diplomaten verlieten het land en het ambassadepersoneel in Jakarta werd tot een minimum teruggebracht.

In het najaar van 1958 hadden bijna alle Nederlanders het land verlaten. Hun achtergelaten bezittingen, woningen, winkels, auto's, inboedels, gebouwen en plantages, raakten ze kwijt aan de nationale Indonesische overheid. Slechts een paar duizend Nederlanders waren achtergebleven; vooral missionarissen, zendelingen en een groep verarmde Indo's. De achterblijvers worstelden met de nieuwe politieke situatie. *Belanda's* hadden niets meer te zeggen. Ze speelden geen enkele rol van betekenis meer in deze postkoloniale tijd.

Lily had de Indonesische nationaliteit aangenomen. Het koude en saaie Nederland van de wederopbouw miste ze helemaal niet. Haar jeugdige, hooggespannen verwachtingen wilde ze niet vaarwel zeggen. Ze beschouwde zichzelf in voor- en tegenspoed met Indonesië verbonden: het was haar leven in de tropen. Maar na een tijd begon ze in te zien dat ze in Indonesië niet zo kon leven als in Holland. Amir verbood haar om bijvoorbeeld lid van de Bandungse Kunstkring te worden of van een huisvrouwenvereniging of alleen naar een winkel te gaan. Ze begreep dat vooral zij en haar jongste dochter Dewi voorzichtig moesten zijn, omdat zij blank waren en blond haar hadden. Over haar ervaringen noteerde ze:

Voor Indonesiërs was ik lelieblank en ons huwelijk gemengd.
Als we uitgingen of buiten gingen eten, moest ik op mijn hoede
zijn. Amir was nooit op zijn gemak. Keek er toevallig een man
in onze richting, dan kwam hij in actie. Op een hopeloze en
vervelende manier. Dan greep hij naar zijn pistool in de holster.
Een beetje wildwest allemaal. Terwijl die persoon nauwelijks
naar mij keek. Dus durfde ik helemaal niet meer op te kijken of
om me heen te kijken.

'Amir was veranderd. Hij had erg veel woede in zich, zo kende ik hem niet', reageerde ze mat. 'Waar hij nooit over sprak was zijn Indische achtergrond, die zat hem steeds meer in de weg. Hij zei altijd: "Ik ben een goed waarnemer en heb mijn contacten en voelsprieten in de Indonesische samenleving. Maar je weet nooit wat er schuilgaat achter die ondoorgrondelijke gezichten. Je moet steeds over je schouders kijken. Je mag hier geen moment zwak zijn."'

'Wat ben jij toch achterdochtig', zei Lily.

'Ja, maar jij bent zo argeloos', merkte Amir op, 'Indonesiërs kunnen gevaarlijk zijn. Jij zult dat nooit begrijpen met je Europese denkbeelden.'

Voortaan moest ze zich zo onopvallend mogelijk gedragen. In de stad kwam ze nog maar zelden. Ze had dan wel de Indonesische nationaliteit maar dat konden de Indonesiërs natuurlijk aan de buitenkant niet zien. Soms waren er dreigende blikken, maar ze is nooit op straat lastiggevallen. Ze deed alles wat ze kon om niet op te vallen als buitenstaander. Haar onzekerheid nam toe door haar jaloerse, onvoorspelbare echtgenoot en de vijandige buitenwereld.

Begin jaren zestig escaleerde Soekarno's confrontatiepolitiek met Maleisië. Hij keerde zich tegen de nieuwe Federatie Maleisië, inclusief het voormalige Brits-Noord-Borneo. Soekarno verklaarde dat deze federatie een product van het Britse imperialisme was. Hij lanceerde de slogan 'Ganjang Malaysia' (Vernietig Malesië). De Maleisische ambassade in Jakarta werd belegerd en bestormd door opgehitste Indonesische jongeren en de Britse ambassade werd in brand gestoken. Amir en een paar gewapende collega's hadden met grote moeite de bedreigde Maleisische consul en zijn familie, die eerder bij hem in Bandung hadden gelogeerd, langs opgewonden menigten naar het vliegveld buiten Jakarta geloodst.

Indonesië raakte ook met Nederland verwikkeld in een militair conflict over Nieuw-Guinea (West-Irian). De kleine Hollandse gemeenschap op dit enorme tropische eiland voelde zich verlaten en onbeschermd. In het voorjaar van 1960 vertrok het vliegdekschip Karel Doorman, begeleid door onderzeebootjagers, naar de tropen. De komst van dit eskader leidde tot een explosieve situatie. Indonesische studenten bestormden de Nederlandse diplomatieke vertegenwoordiging in Jakarta. Ze sloopten de inventaris en kalkten leuzen op de muren. Het staatsieportret van koningin Juliana werd beschadigd en de Nederlandse vlag werd in brand gestoken. Het personeel kon slechts met moeite door de toegesnelde Indonesische oproerpolitie worden ontzet. Die zomer werden alle diplomatieke betrekkingen verbroken. De relatie tussen Nederland en Indonesië was op een dieptepunt beland. Soekarno's taal werd steeds krijgszuchtiger. Een militaire confrontatie leek niet meer te vermijden. In de loop van 1962 begon de Indonesische militaire druk op Nieuw-Guinea toe te nemen. Er waren infiltraties over zee- en luchtlandingen. Ten slotte dwong Amerika de regering in Den Haag tot onderhandelingen. Nederland was zijn laatste koloniale bezit in het Oosten kwijt.

De Papoea's zagen hun hoop op een zelfstandige natie vervliegen. Alles was veranderd in Indonesië. Amir was eveneens erg veranderd.

Hij kreeg steeds meer last van woedeaanvallen en ontpopte zich tot een gewelddadige man. Lily en hij hadden veel ruzies.

Soms werd ze geslagen en aan de haren getrokken. Regelmatig schreeuwde hij overspannen tegen haar: 'Ik kan je wel doodslaan.' Soms hulde hij zich dagenlang in een provocerende stilte. Lily schreef wanhopig in haar dagboek:

Waar moest ik steun zoeken? Vaak als ik lag te huilen, kwam er een kleintje naar me toe. Kon een klein kind mij troosten?

Als moeder schoot ze tekort omdat ze vaak ziek was. Als echtgenote werd ze genegeerd, uitgescholden en geslagen. Maar van haar ouders had ze geleerd om nooit op te geven. Ze was aan het Indonesische avontuur begonnen en wilde niet falen. En natuurlijk wilde ze haar kinderen niet in de steek laten. Zelfs haar schoonmoeder Wilhelmina zei tegen haar: 'Kind, ga toch naar huis. Ga toch terug naar Holland. Daar is het leven goed voor vrouwen. Je houdt het zo niet langer vol.'

Lily noteerde: 'Nooit is er één keer bij mij de gedachte opgekomen om de boel op te geven en terug naar Holland te gaan. Nog steeds hopend dat hij zou veranderen.'

In die tijd stagneerde de briefwisseling met haar moeder en familieleden. Op het laatst had ze geen contact meer met het moederland.

Muziek was haar laatste strohalm. Pianospelen en zingen waren altijd al haar lust en leven.

Al eerder mocht ze niet meer naar de repetities van het koor. Later was het zingen in huis verboden. Zelfs de piano werd weggehaald. Amir wilde niet dat de buren of mensen op straat haar westerse muziek, pianospel en zang hoorden.

Muziek was mijn eerste liefde. Jarenlang had ik met een gelukkig gevoel kunnen zingen en pianospelen. (…) Uiteindelijk ging ik het ontwijken. Op een gegeven moment kon ik zelfs niet meer

naar klassieke muziek luisteren. Het maakte me onrustig en het
riep te veel emoties op. Hartkloppingen of tranen in mijn ogen
kreeg ik van mooie tonen en melodieën.

Op een dag kreeg Amirs chauffeur medelijden met haar. Hij vertelde
Lily dat Amir een dubbelleven leidde en dat hij dat altijd heel goed voor
zijn gezin in Bandung verborgen had weten te houden. Zijn ongeregelde
bestaan voor de inlichtingendienst tijdens de binnenlandse oorlog tegen
de islamitische Darul Islam op West-Java, stelde hem uitstekend in
staat om er vele seksuele verhoudingen op na te houden. Amir bezocht
prostituees en had buitenechtelijke affaires. Hij kon heel charmant zijn
en tegelijk ongelooflijk goed liegen. De chauffeur had haar verbaasd
gevraagd of ze het echt niet had geweten van Amirs andere vrouwen.
'Vertel me niet zulke dwaze verhalen', had Lily lachend geantwoord. Ze
was er beslist van overtuigd dat hij ondanks alles een trouwe echtgenoot
was. Toen kwamen er verhalen los.

'Of ik wilde of niet, ik moest ernaar luisteren. In mijn binnenste was er
nog steeds verzet. Dat bestaat niet! Ik zou alles willen geloven, maar dit niet!'
Ze vroeg de chauffeur: 'Hoe weet je dit allemaal?' Het antwoord
luidde: 'Ik ben er toch de laatste jaren persoonlijk bij geweest.'
'Het scheen dat Amir niet al te kieskeurig was. Ging hij met een taxi
naar Jakarta – na met mij in bed geweest te zijn – dan stond er al een
prostituee voor hem klaar om voor een aantal dagen naar de hoofdstad
te gaan. Beviel ze hem niet dan werd ze met een *oplet* teruggestuurd. In
Jakarta in het tuinpaviljoen van zijn zusters huis was het ook elke dag
"kermis". En toch in al die jaren had ik hem nog nooit iets geweigerd!'
Lily was wakker geschud en ze ging beter opletten, al was dat nog
steeds met de nodige twijfel en ongeloof. Dit bestond immers niet. Hoe
streng kon hij in gezelschap zijn over mannen die prostituees bezochten.
Hoe konden zijn collega's dat toch doen. De één had een liefje hier, de
ander een liefje daar. Hij veroordeelde dit malicieuze gedrag met grote
woorden en gebaren. Nu wist ze dat hij zo moest spreken om zijn eigen

'schuldgevoelens' te ontlasten. 'Was ik al die jaren zo *tolol* geweest?' Met kloppend hart keek ze voor het eerst in zijn aktetas en klerenkast. Vol weerzin trof ze nieuwe en gebruikte condooms aan en zelfs een slipje dat beslist niet van haar afkomstig was. Het was alsof de grond onder haar voeten wegzakte. Op een keer kwam hij thuis met verwarde haren en vegen rode lippenstift op zijn gezicht.

'O ja, darling. Als je ergens plezier hebt gehad, vergeet dan niet eerst je gezicht schoon te maken', zei ze smalend.

Schoorvoetend bekende Amir zijn uitbundige seksuele activiteiten buitenshuis. Hij vertelde onomwonden dat zijn militaire collega's dezelfde 'hobby' uitoefenden. Dat was heel gebruikelijk in de Indonesische machocultuur. Ze voelde zich buitengesloten, een vreemde die niet dacht en voelde zoals hij. Amir probeerde het weer goed te maken en nam Lily mee op zakenreis naar Singapore. Na dit korte uitstapje kon ze zich plotseling niet meer bewegen.

Het leek alsof er met een zware hamer tegen mijn achterhoofd werd gebeukt. Ik kon maar heel langzaam lopen en mijn hoofd absoluut niet bewegen. Zelfs met mijn ogen kon ik niet meer knipperen.

Met spoed ging ze naar het ziekenhuis in Jakarta. De arts maakte scans en deed hersenonderzoek. Lily bezocht verschillende artsen en specialisten. Ze werd volkomen binnenstebuiten gekeerd maar niets hielp tegen de venijnige pijnen in haar hoofd. Ze slikte veel pijnstillers. Haar hoofdpijnaanvallen werden steeds heviger en kwamen snel achter elkaar. Na verloop van tijd werd ze ook overgevoelig voor licht en geluid. Lily schreef hierover:

In de vroege ochtend was de aanval op zijn hevigst. Ik brulde van de pijn. Ze moesten me vasthouden. Ik wou met mijn hoofd tegen de muur slaan. Ik smeekte om mijn hoofd met

beide handen heel hard aan te drukken. Het werd steeds erger.
Ik kon me soms niet meer beheersen door de pijnen. Ik werd
schrikachtig, sprong op als de deur openging, kon geen helder
licht verdragen, zelfs als een lepeltje viel, gilde ik het uit (…).
Jarenlang kon ik geen goede moeder zijn. De kinderen wist ik
geen bescherming en liefde te bieden. Ze werden niet gekoesterd
en moeten ook geleden hebben. Vaak werden ze door hun vader
de deur uitgestuurd en mochten binnen geen lawaai maken. Ze
stonden dikwijls hopeloos verlaten met tranen in de ogen naast
me. Ik stuurde hen meestal weg. Ik wilde niet dat ze zo hun
moeder zagen.

Soms vroeg Guntur met zachte stem: 'Wat mankeer je toch?' Ze staarde hem dan met doffe ogen aan. Ze voelde zich slap en duizelig. Amir was vaak vreselijk boos op de kinderen. Soms gooide hij met zijn sloffen. Soms sloeg hij ze. De sfeer in huis was terneergeslagen en gespannen, de kinderen voelden het wel maar begrepen het niet. Ze werden opgezadeld met schuldgevoelens en vreesachtig gemaakt. 'Ik heb gesmeekt en hard geroepen om een God, die volgens zeggen bestaat. Maar er was geen God. Het was de duivel met wie ik steeds opnieuw kennismaakte.'

Op een gegeven moment had ze door overmatig medicijngebruik het gevoel dat haar geest uit haar lichaam wegzweefde. Ze schreef over deze buitenlichamelijke ervaring in haar dagboek:

Ik wist dat op dat moment mijn lichaam op bed lag en mensen
om me heen stonden. Maar toch ging ik heel ver weg. Zo ergens
naar iets oneindigs toe. Het was eigenlijk een heerlijke sensatie.
Ik dacht echt dat ik doodging maar vond het niet erg. Het licht
in de verte lonkte.

Diverse keren werd ze door artsen in het Adventziekenhuis van Bandung onderzocht. De scans van haar hoofd gaven geen uitsluitsel.

Er werd voor haar fysieke lijden geen enkele medische verklaring gevonden. De artsen konden niets voor haar betekenen. Voor de buitenwereld leek het wel of ze door irrationele, magische krachten was aangeraakt. De familie nam contact op met Pak Abu, de *dukun*. Hij merkte op dat magische dingen niet op een scan te zien waren, dat die zich niet toonden. Hij zou proberen om Lily van de hoofdpijn te bevrijden. Op een avond keken Lily en haar familieleden toe hoe Pak Abu een rauw ei uit de keuken haalde. Met een naald maakte hij een gaatje in de boven- en onderkant. Hij blies op het ei en de inhoud kwam in een schaaltje terecht. Vervolgens hield hij het uitgeblazen ei tegen de plek van haar hoofd waar ze altijd zo'n vreselijke pijn had. Daarna brak hij het ei open op een schotel. In de lege eierdop zaten nu zandkorreltjes, vezeltjes en kleine spijkers met een lengte van een pinknagel. Iedereen keek met verbazing naar de inhoud van het ei. Haar hoofdpijn werd inderdaad wat minder. Maar nu verspreidde de onverklaarbare krampen zich over andere delen van haar lichaam; haar nek, schouders, armen en vingers.

Eerst verzette ik me tegen de pijn. Later kon ik het echt niet
meer. Geen kracht. Dag in dag uit pijn. Vaak had ik het gevoel
dat mijn hart uit mijn lichaam zou barsten.

Begin jaren zestig bezocht Amir Nederland. Hij logeerde in het Haagse Hotel Des Indes. Toen hij terugkwam uit Europa was Lily weer opgenomen in het Adventziekenhuis. 's Nachts haalde Amir haar met twee bewapende mannen uit dit hospitaal. Kon hij niet normaal wachten tot de volgende ochtend?, dacht Lily. Hij leek ineens heel bezorgd over haar ziekte. Die bezorgdheid was echter van korte duur, hij ging gewoon door met zijn dubbelleven en liet haar aan haar lot over.

Hoeveel honderden keren kwamen nieuwe beloftes, gesmeek om
het opnieuw weer te proberen met hem. Zweren met of voor God

dat het niet meer zou gebeuren. (...) Het steeds weer te moeten
ontdekken dat hij loog en nog eens loog. Het sadisme dat vaak
tevoorschijn kwam, het schijnheilige gedoe van hem.

Ze had geen vriendinnen, geen contact met familie en een man die steeds vreemdging en haar geestelijk mishandelde. Ze hield nog steeds van hem, maar hij dreef haar tot wanhoop. Thuis confronteerde ze hem met een nieuwe affaire. Hij ontkende en werd boos. Ze verloor haar zelfbeheersing, ze greep hem hard beet en sloeg hem met haar harde knokkels tegen zijn hoofd. Ze had hem nooit eerder geslagen en raakte buiten zichzelf. Nadat Amir was vertrokken, sneed ze in een radeloze impuls met een scheermes haar pols door. Ze voelde geen pijn.

Het werd donker om me heen. Ik voelde de warme gloed die door
mijn pols ging en zag het bloed eruit komen en vond dat nog niet
genoeg. Toen ik weer bij bewustzijn kwam, zag ik dat ik veertien
keer het scheermes over mijn pols en arm had laten gaan.

Ze werd opgenomen in de ziekenzaal van het klooster in Bandung. Dat werd nu haar toevluchtsoord. Binnen de veilige kloostermuren werd ze goed verzorgd door de tanige Nederlandse zuster Frederique, die gekleed ging in een lang wit habijt met witte traditionele hoofddoek. Ze had lichtgrijs haar en droeg een hoornen bril. De zuster verbond haar snijwonden en probeerde haar te troosten. Lily lag in een ouderwets vertrek op een smal stalen bed met hard matras en vale dekens. 's Morgens werd ze gewekt door het gebeier van een kerkklok. Langzaam liep ze door de serene, witgekalkte kloostergang die uitzicht bood op een tuin met vele kleurige bloemen. De katholieke zusters waren zeer toegewijd. De stilte en rust in het klooster deden haar goed. Ze durfde nog niet aan haar toekomst te denken.

Drie dagen later al stond haar jongste dochtertje Dewi, gestuurd door haar vader, aan haar bed met haar trouwring in de hand die ze thuis had achtergelaten.

'*Mama pulang dong*', zei ze schuchter.

'Goede God in de hemel', zei Lily met een verdrietige glimlach.

De volgende dag kwam Amir haar halen, vol goede voornemens. Ze schreef in haar dagboek:

> *Voor de eerste keer in ons huwelijk ruim één uur achter elkaar*
> *gepraat. Hij barstte in huilen uit, weer op zijn knieën, en hij*
> *zweerde zijn leven te beteren.*

Na dit emotionele gesprek begaf haar stem het opeens. Ze liet zich toch weer overhalen en ging terug naar huis. Alles zou anders worden.

Het gevaarlijke jaar

'Als Indonesisch staatsburger kun je toch zo weer terug naar Nederland. Je bent daar geboren en van belang is het afstammingsbeginsel', zei de jonge Hollandse diplomaat geruststellend.

Lily had vrijwel direct na haar aankomst in Indonesië voor de Indonesische nationaliteit gekozen. Nu informeerde ze vanwege haar persoonlijke problemen en de turbulente politieke situatie naar de mogelijkheid van een eventuele terugkeer naar haar vaderland. Ze wist dat Amir nooit toestemming zou geven om haar kinderen, die ook een Indonesisch paspoort hadden, met haar mee te laten gaan.

Ze had de tijdelijke Nederlandse kanselarij, die was ondergebracht in een paar kamers van Hotel Indonesia, in het centrum van Jakarta bezocht. Om zes uur 's ochtends stonden de hotelgangen al vol Indo-Europese bezoekers met visumaanvragen voor vestiging in Nederland. De ruimte in de werkkamer was zo beperkt dat de secretaresse met de schrijfmachine op haar schoot brieven moest typen. Overal lagen stapels mappen met allerlei documenten. De Nederlandse ambassade en de consulaire gebouwen werden door de Indonesische regering nog niet ter beschikking gesteld. Het jonge ambassadeteam werd gehuisvest in Hotel Indonesia waar in de kamers overal afluisterapparatuur was geïnstalleerd. De Indonesische inlichtingendienst hield de Nederlanders nauwlettend in de gaten. Al hun bewegingen en contacten werden gecontroleerd.

Pas begin 1965 had de nieuwe Nederlandse ambassadeur Emile Schiff zijn geloofsbrieven aan Soekarno overhandigd. De diplomatieke betrekkingen waren weer voorzichtig hersteld.

De jonge attaché Van A. hield zich bezig met de spijtoptanten. Deze Indo-Europeanen, die destijds Indonesisch staatsburger waren geworden, hadden spijt gekregen en wilden zich alsnog in Nederland vestigen. In Indonesië werden ze als tweederangsburgers behandeld en systematisch geweerd voor banen bij de overheid en het bedrijfsleven. Ze waren in een isolement geraakt en verkeerden vaak in benarde levensomstandigheden. Met de ambassade-auto bezocht de attaché in zijn nette pak vele Indo-Europese mensen in afgelegen kampongs en buitenplaatsen. Hij deed al het papierwerk voor hun visumaanvragen.

Van A. onderhield ook het contact met een aantal achtergebleven Nederlanders in Indonesië. In Bandung bezocht hij Lily en de charmante veertiger Amir, die zich introduceerde als kolonel bij de Siliwangi-divisie. De diplomaat ontving als geschenk een vaandeltje van geweven stof van deze legerafdeling, dat nu nog steeds thuis in Nederland op zijn bureau pronkt. Hij was gefascineerd door de bepaald on-Javaanse directheid van deze Indonesische legerofficier. Amir vertelde hem terloops dat de heftige anti-Amerikaanse betogingen in Jakarta en andere steden op Java geen spontane maar gearrangeerde demonstraties waren.

'Mensen met rode vlaggen met hamer en sikkel werden met oude vrachtwagens aangevoerd. Ze zongen spontaan "Genjer, Genjer", een Javaans lied dat door de communisten tot lijflied was verheven. Enorme spandoeken met leuzen tegen het neokolonialisme en imperialisme werden uitgerold. Stenen werden uitgedeeld die later naar de Amerikaanse ambassade werden gegooid. Na afloop kregen de armlastige betogers gratis eten en drinken in de *warungs*.'

'Juist', zei de diplomaat, 'Ik vraag me af hoe dit gaat aflopen!'

'Het kan inderdaad nog heel onplezierig worden', antwoordde Amir. In mei 1965 werd het veertigjarige bestaan van de Indonesische communistische partij in het overvolle stadion Senayan in Jakarta gevierd. Overal in de stad hingen rode vlaggen en spandoeken en de levensgrote portretten van Marx, Lenin, Mao, Soekarno en Aidit. De grote rede van Soekarno was meer dan een steunbetuiging aan de PKI en haar leider Aidit. Feitelijk omhelsde hij het communisme en haar leiders. Het was het toppunt van communistisch machtsvertoon. Opeens werd het straatbeeld bepaald door jongeren in hun zwarte hemden van de Pemuda Rakjat, een communistische jeugdorganisatie met drie miljoen leden. Voortdurend waren er politieke demonstraties en manifestaties.

Soekarno's flirt met het communisme, de politieke instabiliteit, de economische crisis en gierende inflatie waarin hij zijn land had gebracht, waren hem fataal geworden. Het lukte hem niet meer om tussen de communisten, de islamitische bewegingen en het leger te manoeuvreren. Wie zou het eerst toeslaan: de PKI of de legertop?

Op 30 september 1965 vond een linkse couppoging plaats, ook wel cryptisch Gestapu ofwel G30S (Beweging van 30 September) genoemd, waarbij zes conservatieve generaals werden vermoord. De militairen onder aanvoering van generaal Soeharto hadden op deze gelegenheid gewacht en sloegen hard terug. Ze wilden het land van alle communistische invloeden ontdoen. Een wraakcampagne tegen de ogenschijnlijk zo machtige communistische partij van Indonesië (PKI) en haar vakbonden, jongeren- en vrouwenorganisaties werd gestart. Er volgde een bloedige klopjacht door het leger, dat vaak werd gesteund door lokale islamitische milities, op de ongelovige communisten en alles wat links was. In een explosie van geweld werden honderdduizenden Indonesiërs vermoord. De doden verdwenen in een zwarte leegte. PKI-leider Dipa Aidit werd gevangengenomen en gefusilleerd. Zijn huis werd gesloopt tot de laatste steen. Het PKI-hoofdkantoor in Jakarta werd, nadat alle belangrijke documenten door de militairen waren meegenomen, tot de grond toe afgebrand. Legertrucks met bijna kaalgeschoren commando's in camouflagepakken en voorzien van automatische wapens reden rond door de straten. Nog steeds werden gewone burgers maar ook ministers, hoge ambtenaren en hoofdofficieren opgepakt. Het parlement, ambtenarenkorps, leger en de politie werden gezuiverd. Al spoedig namen Soeharto-aanhangers de belangrijke posities in. Vooral bij de inlichtingendiensten – die werden gezien als bron van veel kwaad – werd een grote 'schoonmaak' gehouden. Soekarno was 'aangeschoten wild' geworden. Zijn verzwakte bewind werd weggezet als de Orde Lama, de Oude Orde. Amir was nogal gecharmeerd van de wispelturige, kosmopolitische eerste president van Indonesië. Hij onderkende de vulkanische politieke krachten die nu naar boven kwamen. De paracommando's met hun rode baretten traden rücksichtslos op. Een paar collega's van de geheime dienst werden opgehaald en voor het laatst op de achterbank van een legervoertuig gezien. Amir was gealarmeerd.

'In die tijd sliep hij met een doorgeladen pistool naast zijn kussen alsof hij verwachtte van zijn bed te worden gelicht. Soms schrok hij midden in de nacht wakker. Goede connecties hadden een uitreisvisum geregeld. In de chaos week hij tijdelijk uit naar het buurland Maleisië', herinnerde Lily zich.

Lily vertelde over een bevriende familie, een Indonesische arts-schrijver en zijn Hollandse vrouw, die na de mislukte coup van 1965 de kleine kinderen van Dipa Aidit, de vermoorde leider van de Indonesische communistische partij, in hun nogal afgelegen huis buiten Bandung lieten onderduiken. Ze namen een heel groot risico. Lily heeft deze kinderen destijds meerdere malen ontmoet. Op een dag stond een groep militairen in camouflagepak met geweer in de aanslag voor de deur van hun roodbakstenen woning met erkers in oud-Britse stijl. Ze waren nog steeds op zoek naar verdwenen en ondergedoken familieleden van Aidit. De arts deed de voordeur open en zei op gedempte maar resolute toon: 'Die kinderen zijn zo jong. Laat ze toch met rust.'

Wonderlijk genoeg gingen de militairen weg en vertoonden zich nooit meer.

'De nasleep van de coup werkte ons allemaal op de zenuwen', zei Lily. In dat jaar was paranoia de norm.

In het gevaarlijke jaar 1965 zat haar zoon, de veertienjarige Guntur nog op de SMP, de katholieke middelbare school, het Sint Aloysius in Bandung. De kwetsbare, tengere jongen, kind van een Hollandse moeder en Indonesische vader, mocht dan een blank uiterlijk hebben toch had hij een Indonesische 'ziel'. Hij was een makkelijke prooi voor de radicale scholieren en studenten met hun politieke praatjes en slogans tegen het Soekarnobewind en de communisten. Hij werd lid van de KAPPI, het anticommunistische actiefront van middelbare scholieren. Guntur en zijn leeftijdgenoten – vaak kinderen van militairen of ambtenaren van de Oude Orde – demonstreerden vrijwel dagelijks. Nu domineerden tienduizenden niet-communistische en islamitische jongeren de straten van de grote steden. Ze vonden dat Soekarno de Indonesische revolutie had verraden. Deze scholieren en studenten vormden de harde kern van de demonstraties. Ze kregen de onuitgesproken steun van het leger.

Zo had Guntur zelfs het wapen uit de afgesloten bovenste lade van het bureau van zijn vader, die nog steeds in het buitenland verbleef, bemachtigd.

'Geef die colt terug', commandeerde zijn moeder.

Lily wilde niet dat hij met deze militante organisatie van studenten en scholieren meedeed.

'Mijd die lui, ze zijn onvoorspelbaar. Het is een gevaarlijke situatie', zei ze angstig,

Ze sprak hem streng toe, maar hij was niet tegen te houden. Met zijn KAPPI-vrienden in Bandung bleef hij omgaan.

'Vooral omdat hij met zijn lichtgetinte huid anders was dan de rest. Hij wilde meedoen en voelde zich absoluut honderd procent Indonesiër', schreef Lily later.

De scholieren en studenten reden luid leuzen scanderend in open legertrucks door de straten. Ze werden ook ingezet door de militairen om openbare gebouwen te bewaken en te zoeken naar verdachte personen. Ze deden actief mee aan het opsporen en aftuigen van communisten.

's Nachts kwamen de Indonesische commando's met steun van conservatieve islamitische milities en rechtse jongeren, zoals het front van studenten en scholieren, in actie.

Ze grendelden een straat of steeg af en doorzochten bepaalde panden. Ze trapten de voordeur in van huizen van vermeende communisten, vakbondsleden en linkse jongeren van de Pemuda Rakjat. Deze mensen werden geslagen en bedreigd. Daarna werden ze meestal in militaire wagens afgevoerd naar een onbekende bestemming buiten Bandung. Op een afgelegen, stille plek bij een bamboebos of bij de steile rivieroever werden ze door militairen of milities, meestal zonder gebruik van kogels, vermoord. Hun lichamen werden in de rivier of een ravijn geworpen. De volgende ochtend plunderden stadsgenoten de leegstaande huizen van de opgepakte Indonesische communisten en hun familieleden, evenals de huizen van Chinese Indonesiërs die werden beschouwd als handlangers van het communistische China. Alles van waarde werd meegenomen. Daarna werd het huis gesloopt of in brand gestoken.

Op een donkere avond zag de jonge Guntur hoe vijf militieleden met knuppels een oudere Chinees sloegen. De man jammerde totdat hij levenloos in een plas bloed op straat bleef liggen. Een andere keer werd een schreeuwende, doodsbange man zo hard met een zwaard op zijn hoofd geslagen dat een deel van zijn hersenen naar buiten spatte.

Soms werden slachtoffers welbewust op straat achtergelaten. Deze wreedheden werden begaan om de communisten, socialisten en andere linkse activisten nog meer angst aan te jagen. Er was geen 'safe haven' meer voor deze mensen. Men leefde in voortdurende angst. Niemand was te vertrouwen. Soms werden mensen op basis van valse beschuldigingen van buren of zelfs naaste familieleden gearresteerd en gemarteld. Soms werden ze opgepakt omdat ze gewoon lid waren van een vakbond voor onderwijzers of boeren en verdacht werden van procommunistische sympathieën. Niemand wilde bevriend zijn met deze politiek 'besmette' families. Ze werden volkomen genegeerd.

De rebelse Guntur trok weken achter elkaar op met de anti-communistische jongeren. Lily wist soms niet waar hij uithing en ze maakte zich zorgen als hij 's nachts niet thuiskwam. Ze ziet de beelden van de zoektocht naar haar zoon weer voor zich. Het was onheilspellend. Met haar auto reed ze doelloos door de schaars verlichte straten van het desolate Bandung. De inwoners waren bang en bleven als het donker was liever binnenshuis. Op de Jalan Dago zag ze de geplunderde gebouwen en uitgebrande auto's van Indonesisch-Chinese eigenaars. Af en toe hoorde ze doffe geweerschoten die de nachtelijke stilte doorbraken. Tevergeefs zocht ze hem. Pas de volgende ochtend kwam hij thuis. Hij wilde niets loslaten en ging direct naar bed. Een paar maanden later moesten de scholieren en studenten weer aan de slag. De militairen hadden het gezag weer volledig in handen genomen. President Soekarno werd gemarginaliseerd en later op non-actief gesteld. De meedogenloze generaal Soeharto nam de macht over. De Orde Baru, de Nieuwe Orde was begonnen.

Toen bij Lily de onverklaarbare pijn, de benauwdheid en hysterische buien terugkwamen, bevond Amir zich nog in het buitenland. Op zijn advies werd een dokter geraadpleegd.

Hij wilde haar laten opnemen maar zij weigerde pertinent. Op een vroege ochtend had ze weer een hevige pijnaanval. Twee verpleegsters kwamen en namen haar op een brancard mee. Ze werd vergezeld door een buurvrouw. Ze zou een slaapkuur krijgen.

Ik had geen besef waar ik vastgebonden op een draagbaar
heen werd gebracht. Gang in, gang uit. Herkende niets van de
omgeving. Ik hoorde veel sleutels rinkelen. Deur open, deur
dicht.

Bewegingsloos zat ze op de grauwe lakens van het roestige bed. Ze staarde naar de kale vloer en muren van het schemerige kamertje. Het is hier niet veilig, dacht ze. Plotseling werd ze door een dokter en een verpleegster vastgepakt en met een kalmerende vloeistof geïnjecteerd.

'Laat dat, laat dat', schreeuwde ze wanhopig tegenstribbelend.

Alles om haar heen had een vage sepiatint aangenomen. Vervolgens viel ze in een diepe slaap. Vroeg in de ochtend bracht een verpleegster haar een eenvoudig ontbijt. Lily deed de kamerdeur open en ging op een stoel zitten in de gang. Overal had ze rode plekken op haar lichaam.

Het bed, de matras, de wanden, de rotanstoelen, ja alles
zat boordevol luizen en wandluizen. Ik rilde. Ik zag overal
ongedierte. Vreselijk. Waar was ik terechtgekomen? Aan de
overkant hoorde ik steeds een vrouw gillen zonder ophouden.
Het klonk bijna onmenselijk.

Door de medicijnen was Lily nogal suf geworden. Ze wilde schone kleren hebben. 's Middags wachtte ze op bezoek. Er kwam echter niemand. Ze mocht ook niet telefoneren. De volgende ochtend werd ze om vier uur door geschreeuw wakker. Ze liep naar het terrasje.

In het halfduister werden mannen gebaad. Ik wreef mijn ogen uit.
Het gebeurde achter een laag muurtje. De mensen leken me zo
onwezenlijk... Zag ik daar ook niet een vrouw, een bekende van de
Braga? Die is toch gek? Mijn hart ging vlugger kloppen... Zag een
patiënt op het veldje dansen. Toen wist ik pas waar ik was. Het was
een afschuwelijke schok. Ik zat in een psychiatrische inrichting.

Wie kon ze vertrouwen? Wat moest ze doen? Vertwijfeld vroeg ze naar een dokter. De hoofdverpleegster kwam en deed de ijzeren deur op slot. Toen haar kamer door verzorgsters werd schoongemaakt, zat ze op de gang en hoorde ze de zusters over haar praten.

'Je zou niet denken dat ze gek is. Ze is zo rustig!'

*Ik dacht: mijn hemel, hoe kom ik hier uit! In mijn afgesloten
kamer liep ik heen en weer. Door Amir was ik hier
terechtgekomen. Had hij het zover voor elkaar gekregen dat ze
al dachten dat ik gek geworden was? Nee, dat zou niet gebeuren.
Ik voelde me vies en wilde graag baden. De badkamer was
heel vuil en er was geen licht. De vloer was wat ingezakt. De
deur kon niet dicht. Aan een bevriende familie schreef ik een
briefje: wanneer halen jullie me hier uit? Ik gaf het aan de
hoofdverpleegster om het te bezorgen.*

*Verder de hele dag gekrijs, geruzie en gezang van patiënten. Ja,
dat Sundanese lied dat steeds herhaald werd, zal ik mijn hele
leven niet meer vergeten. (...) Ik voelde me wanhopig door het
gillen, lachen en de vele vreselijk sombere gezichten om me heen.*

Er kwam geen bezoek en ze mocht nog steeds niet bellen. Pas na vier
dagen sprak ze een dokter. Ze was vreselijk zenuwachtig. Hij stelde een
paar onnozele vragen en merkte op dat hij verder niets kon doen. Ze
vroeg zich af wat er toch met haar was gebeurd dat ze zonder het te
weten in de inrichting was terechtgekomen De volgende dag zat ze weer
vol spanning te wachten. Ze weigerde de voorgeschreven medicijnen in
te nemen.

*Weer een dag van stil zitten, om je heen kijken. Mensen die
je vreemd aankijken. Gegil, geschreeuw en gelach. Dansen op
commando van de verplegers.*

Pas de daaropvolgende ochtend kwam de psychiater van de afdeling.
Houd je goed, dacht ze, laat zien dat je niet gek bent. Hij was er
achtergekomen dat ze de vrouw van Raden Amir was.

'Waarvoor moet ik nog meer gestraft worden?', vroeg ze hem.

Deze specialist onderzocht haar en oordeelde dat ze de kliniek mocht verlaten. Toen ze de kamer van de psychiater verliet, informeerde een patiënte giechelend: '*Apa nonja lulus?*'

Lieve hemel, ik ben weer vrij, had ze gedacht. Amir had gepleit voor opname in de psychiatrische kliniek. Het leek erop dat hij haar krankzinnig wilde laten verklaren.

Thuis voelde ze zich de eerste dagen als herboren. Kort daarna kwamen de pijnaanvallen en krampen weer terug. Op een ochtend vroeg Lily, zoals gewoonlijk, een kopje koffie aan de oude Umar, een trouwe bediende van Amir. Deze Umar was al in dienst voordat Lily uit Holland kwam. Het duurde nogal lang. Ze liep op haar vilten sloffen geruisloos over de vloer van de gang naar de openstaande keukendeur. Op dat moment druppelde Umar heimelijk een gele vloeistof uit een klein glazen flesje in haar koffie.

Hij probeert me te vergiftigen, dacht ze geschrokken. Ze voelde zich duizelig en slap worden. Geruisloos liep ze terug naar de woonkamer. De bediende bracht de koffie en ze deed alsof ze niets had gemerkt. Ze gooide de koffie weg.

Amir moet zijn volbloed Europese vrouw wel gehaat hebben. Lily bleef problemen houden met zijn gedrag, dubbele moraal en zijn maîtresses. Hij raadpleegde, zoals gebruikelijk, de *dukun*. Emotieloos had hij gevraagd: 'Hoe kan ik van mijn vrouw afkomen?' De oude man zei: 'Er zijn twee opties: vergiftiging of *guna-guna*.' Amir had zijn trouwe bediende opdracht gegeven om elke ochtend een kleine dosis vergif in haar hete koffie te doen. Voortaan maakte ze de koffie zelf. Langzamerhand verdween de pijn. In het plaatselijke ziekenhuis werd ze later onderzocht. Er werd een bloedonderzoek gedaan. De uitslag was positief. Ze was volkomen gezond. Toch voelde ze zich radeloos. Blijven was riskant, maar weggaan betekende alles verliezen. Amir voelde geen enkele liefde meer voor haar. Hij consumeerde vrouwen op grote schaal, een seksuele grootverbruiker. Ze schreef hierover:

Ik heb hem er geduldig op gewezen dat hij volwassen moest worden. Dat er belangrijkere zaken op de wereld zijn. Vooral ons gezin, waar de kinderen zoveel liefde en aandacht te kort zijn gekomen (...) Naar buiten toe kon hij nog een beetje de schijn ophouden. (...) Hoe hij van zijn gezin hield. Iedereen zal hem een lieve man vinden die zijn vrouw verwent. Maar het is met geen pen te beschrijven hoe hij eigenlijk in werkelijkheid is! (...) Zijn opvallend lief zijn, zijn uitsloven, zijn overdadige presentjes. Alles met opzet om vooral aan de buitenwereld te laten zien hoe goed hij is. Zijn vrouw komt echt niets tekort!

Ondanks alles is het nooit in haar opgekomen om weg te lopen, om te scheiden, om haar kinderen te verlaten. Haar mentaliteit was: je blijft bij je gezin in voor- en tegenspoed. Bij een scheiding zouden haar zoon en dochters, die Indonesisch staatsburger waren, moeten achterblijven. Zonder familie, zonder huis, zonder werk en inkomen zou ze in Holland zijn gearriveerd. Ze kende daar bijna niemand meer. Er was geen weg meer terug.

Bij hoogoplopende ruzies zei hij sardonisch: 'Lazer op. Er ligt al een ticket voor je klaar.'

Hij wilde gewoon van haar af. Moest ze zonder de kinderen terug naar Nederland? Haar ziel werd gepijnigd. Ze verzonk in lethargie. Er kwam een tijd dat ze het bijna opgaf.

Ze slikte steeds meer pillen om in slaap te vallen. Een paar valiumtabletten waren niet genoeg. Ze probeerde andere sterkere medicijnen. Ze wilde het heerlijke gevoel van wegdoezelen ervaren. Ze wilde niet meer piekeren, niet meer denken, alleen slapen en in een zwarte diepte vallen. Ze werd heen en weer geslingerd, in gevecht met haar eigen gevoelens. Ze hoorde stemmen in haar hoofd: 'Waarom kun je niet slapen? Natuurlijk kun je wel slapen. Daar staan de flesjes. Laat staan! Pak ze!'

Ze liet haar handen dwalen over de flesjes die bij de marmeren wastafel met de grote spiegel stonden en sloot even haar ogen. 'Waarom haat hij me? Wat heb ik hem voor kwaad gedaan?' In het leven kon ze niet meer geloven. Het was eigenlijk geen leven, het was langzaam doodgaan. Ze had zo haar best gedaan iets van haar leven te maken. Er was zo'n groot verlangen naar geluk geweest. In een teug dronk ze een hele fles broom leeg en raakte buiten bewustzijn. Een bediende vond haar bewusteloos in de slaapkamer. Ze kwam weer bij op de eerste hulppost van het Adventziekenhuis in Bandung.

Als jonge vrouw had ze gekozen voor het tropische Java en haar Indonesische man. In 1970 besloot ze uiteindelijk haar echtgenoot te verlaten en van hem te scheiden. In haar dagboek schreef ze:

Hoe lang heb ik toneelgespeeld tegenover mensen. Wat kon ik anders doen. Hij was nog steeds mijn man. De vader van mijn kinderen. Het lukt absoluut niet om met hem te praten. Hij draait alles om, verdraait mijn woorden en haalt zinnen uit zijn verband. Hij liegt en fantaseert erop los. Hij gaat schreeuwen en begint weer met smijten en slaan. Wat zijn dit toch voor tropenmanieren. Ik kan nu kalm blijven. Wat ik hem niet kan vergeven is de verwoesting van ons gezin. (...) Maar één ding moet hij onthouden. Ik ben nu op weg om gezond te worden, mezelf weer te zijn en dat kan hij niet meer tegenhouden. Hij zal me niet meer breken.

Deel III

Habibies buffer

Wat een verzengende hitte. Wat een drukkende benauwdheid. Een enorm billboard van het sigarettenmerk Marlboro toont een westerse man met cowboyhoed te paard in een desolaat besneeuwd berglandschap. We rijden in Lily's nieuwe, knalgele Mitsubishi met bejaarde chauffeur door het overvolle centrum van Bandung langs glanzende postmoderne kantoorgebouwen, verwaarloosde statige Hollandse villa's en gigantische reclameborden met westerse consumptieartikelen. Schoolkinderen in uniform lopen op de slecht geplaveide, drukke trottoirs. Tussen het chaotische autoverkeer rijdt soms een enkele fietser met een roekeloosheid die grenst aan het suïcidale. Langzaam rijden we over de drukke Jalan Juanda (de vroegere Dagoweg) met hier en daar vaalwit gepleisterde koloniale villa's met rode dakpannen. De chauffeur attendeert me op een naargeestig pand, een bakstenen schoolgebouw van één hoog met smalle ramen. Er rust een vloek op dat gebouw.

'In de oorlog hebben Japanse soldaten daar Hollandse vrouwen en kinderen geïnterneerd. Velen kwamen om door ondervoeding en ziekten. Volgens de Indonesische bewakers bevinden zich tijdens maanloze nachten in het dichte bladerdak van de *waringin* de snikkende zielen van kleine kinderen die maar niet willen sterven', zegt hij met een nerveuze glimlach.

Dit verhaal herinnerde me aan die huilende baby's in een boomgaard bij een afgelegen boerderij in Transvaal, waar ik een paar jaar geleden logeerde. De Zuid-Afrikaanse eigenares had me vooraf gewaarschuwd voor het nachtelijke babygehuil buiten in de tuin.

'Dat is alleen maar het geluid van vogels', vertelde ze ter geruststelling. Inderdaad hoorde ik in het duister baby's huilen. Maar die vogels heb ik nooit gezien.

We gaan linksaf bij een langgerekt natuurpark met hoogopgaande bomen. Dit is het oude Jubileumpark met een dierentuin, dat in de jaren dertig van de vorige eeuw was aangelegd in de vallei van de snelstromende Cikapundung-rivier tussen de oude Lembang- en de Dagoweg. Tegenover de ingang van de zoo bevindt zich de befaamde Villa Merah die is gebouwd met de vertrouwde rode Hollandse bakstenen. We rijden over een brug boven het smalle rivierdal en gaan dan rechtsaf de langzaam stijgende Jalan Ciumbuleuit (de voormalige Berg en Dalsche weg) op. In de hoger gelegen oude villawijk Berg en Dal of Ciumbuleuit, zo genoemd naar een theeonderneming die zich daar vroeger bevond, wordt het verkeer minder en de lucht schoner. Bij een kleine rotonde met *warungs* aan het eind van deze weg slaan we rechtsaf naar de Jalan Ciputih (de oude Juliana- en Bernhardlaan). Hier woont Lily op een afgebakend terrein van een heuvel. Ze heeft naar eigen ontwerp een kleine villa laten bouwen en ingericht.

Overal staan kleine beeldjes van tropisch hardhout, stoelen met fijn bewerkte hardhouten leuningen en er liggen kleurige batikdoeken op tafel. Maar er zijn ook oud-Hollandse tegeltjes met spreuken als 'Oost West, thuis best' en blauw-witte Delftse porseleinen miniaturen. Haar oude koffers, die ze in 1951 had meegenomen, liggen achteloos in het berghok onder een dikke laag stof. Ze is niet van plan om ooit nog uit Indonesië te vertrekken. Vanaf het terras heeft ze uitzicht op een groot deel van de hoogvlakte met bergen en vulkanen. De schoonheid van het landschap is oogverblindend. Zij bewoont het laatste huis van deze straat. Beneden in de schuin aflopende vallei en aan de overkant op de heuvels liggen enkele kleine kampongs. Het is er oorverdovend stil, alsof het leven buiten de stad is opgehouden te bestaan.

Mijn nicht Lily woont al meer dan een halve eeuw in Bandung. Ze is nu ruim zeventig jaar oud. Soms laat haar geheugen haar in de steek en vallen herinneringen uiteen in brokstukken. Het lijkt wel of ze in haar terugblik zelf geen deel van dat leven heeft uitgemaakt. Eigenlijk heeft ze haar turbulente verleden in Indonesië verdrongen. Ik wil haar verzonken sporen in het postkoloniale Java volgen om haar levensverhaal te kunnen ontrafelen.

Ze is wat stram, beweegt zich weinig en doet alles per auto. Haar lange grijze haren zijn zorgvuldig opgestoken. Lily maakt zich altijd op als ze naar buiten gaat. Uit respect wordt ze *ibu* genoemd. Het is gebruikelijk een oudere vrouw zo aan te spreken. Uiteindelijk is ze vergroeid geraakt met Indonesië. Ze voelt zich er thuis. En ze heeft vooral contact met een goedopgeleide elite en spreekt een zangerig Indonesisch met lange, diepe uithalen.

In het post-Soehartotijdperk is het leven voor haar twee dochters Dewi en Nana goed. Ze wonen in riante huizen met bedienden die alles van hen weten. Ze zijn welvarend. Haar zoon Guntur is ondanks zijn goede afkomst en opleiding minder geslaagd. Hij behoort tot de verarmde tak van de familie maar voelt zich thuis in het hectische Jakarta. Lily's kinderen zijn Indonesiërs met Nederlandse wortels. Schamen ze zich soms voor de Hollandse voorouders? Waarom had Lily de verbleekte portretfoto van grootvader Jan in zijn militaire uniform met daarop het Lombokkruis gespeld opgeborgen in de onderste lade van het dressoir? Leverde dat beeld nog steeds pijnlijke herinneringen op? Is de familie soms blijven steken in de postkoloniale verbittering? Zijn er onderwerpen uit het verleden die ze verbergt waarover ze nog niet kan of wil praten? Wat was haar overlevingsstrategie? Over Lily en haar nakomelingen ontdekte ik steeds meer nieuwe, onverwachte kanten. Ze kende vooraanstaande Indonesiërs. Ze bevond zich in kringen met veel geld, wat macht en bescherming bood.

Na de val van Soeharto in mei 1998 werd zijn pleegzoon Bacharuddin Jusuf Habibie, (Rudy voor intimi) tot zijn opvolger benoemd. Habibie was de derde president van Indonesië en werd vooral gedreven door ijdelheid. Zo verkondigde hij dat 'God zijn presidentschap had geregisseerd'. Hij hield zich bezig met imagebuilding, zoals 'Noem mij Bung Rudy'. Indonesische studenten die tegen hem waren, noemden hem vaak spottend 'Hababi' ofwel 'Ha, varken' wat zeker in dit islamitische land als een regelrechte belediging wordt beschouwd. Hij was twintig jaar lang minister van Onderzoek en Technologie onder het Soehartoregime. De in Duitsland opgeleide luchtvaartingenieur had zijn eigen miljarden verslindende hightech vliegtuigindustrie in Bandung. Dit mislukte project had grote offers van de Indonesische economie gevergd.

Habibies zakenimperium is ondergebracht in de Timsco Group, die belangen heeft in de bouw, chemie, transport, telecommunicatie en industriële ontwikkeling. De frêle, praatzieke Habibie heeft tijdens zijn presidentschap in 1998/1999 het braakliggende terrein rondom Lily's huis opgekocht. Op deze onbebouwde berghelling liet hij voor zijn oudste zoon Ilham een villa van drie verdiepingen met bijgebouwen voor het personeel neerzetten. De hoofdingang is elektronisch beveiligd met een zwaar schuifhek en een stenen wachtpost voor de geüniformeerde bewakers. Daarachter bevindt zich een geasfalteerd parkeerterrein. Een betonnen bijgebouw met een lange gang leidt naar de enorme villa die tegen de helling is gebouwd. De voorkant van de villa is voorzien van dubbele glaswanden om van het mooie panoramische uitzicht te kunnen genieten. Er is een hemelsblauw gekleurd zwembad aangelegd. Het zwaarbeveiligde complex is omgeven door zeer hoge muren en metalen hekken met op de top hightechprikkeldraad. Op lange palen zijn ronddraaiende bewakingscamera's gemonteerd en op het landgoed lopen dag en nacht gewapende bewakers rond. Habibie is met zijn oudste zoon Ilham verantwoordelijk voor het beleid van de Indonesische vliegtuigindustrie in Bandung waar duizenden werknemers zijn ontslagen.

Habibie heeft nogal wat tegenstanders. Voor veel Indonesiërs heeft hij tijdens zijn presidentschap het door Indonesië bezette Oost-Timor, een voormalige Portugese kolonie, verkwanseld. Als opvolger van Soeharto heeft hij zich bepaald niet populair gemaakt, hoewel hij zich ook sterk heeft ingezet voor het recht op vrije meningsuiting, mensenrechten en democratische verkiezingen. De laatste jaren verblijft de oud-president vaak langdurig in Duitsland, waar hij vroeger heeft gestudeerd en gewerkt. Daar wordt hij regelmatig als voormalige politieke leider gefêteerd en gesignaleerd met een klein snorretje en typische Duitse pet op.

Lily sluit de metalen rolluiken aan de straatkant van haar huis. Ze veegt het zweet van haar voorhoofd.

'Het was een onbarmhartig warme dag', zegt ze vermoeid. Voor haar veiligheid sluit ze elke avond rond zes uur af. Aan de achterkant is nog wel een groot deel van Habibies verlichte compound te zien. Haar dichtbegroeide tuin camoufleert deels dit intimiderende gebouw dat haar villa aan drie kanten omsluit. Feitelijk wordt ze door de betonnen muren en de elektronisch beveiligde hekken van haar buurman gekneveld. Haar uitzicht is beperkt tot een smalle strook land met een kleine kampong en moskee aan de overkant van de heuvels. Opnieuw voelt ze zich opgesloten, claustrofobisch ingeperkt. Ilham Habibie was daar nog niet tevreden mee.

'Ik ben van plan om nog een hoge stenen muur te metselen zeker zo hoog als de bomen in jouw tuin.' Het leek of hij haar geen enkel vergezicht meer gunde.

'Maar dan heb ik helemaal geen uitzicht meer op de heuvels', had Lily verbolgen gezegd.

'Ik wil helemaal niets meer van jouw huis zien. En ik heb recht op elke centimeter van mijn grond', benadrukte hij.

'Als je die muur bouwt, zul je me moeten inmetselen.' Vervolgens vroeg ze hem: 'Wil je soms mijn huis kopen. Is dat de bedoeling?'

'Nee, jouw strategisch gelegen huis is juist een goede buffer tegen het gevaar van de straat', antwoordde hij zelfverzekerd.

Het conflict tussen de koppige Lily en haar prominente buurman loopt al vanaf de bouw van de belendende villa. Ze heeft destijds tevergeefs een zaak aangespannen om dit project te verhinderen. Toen het buitenverblijf er eenmaal stond, was er onenigheid over het doodschieten van vogeltjes door de lamlendige bewakers. Verder stoort zij zich aan het harde gezang en het slaan met ijzeren staven tegen de muren van haar huis door de surveillanten tijdens hun rondgang. Blijkbaar zijn ze bang in de donkere nacht. Toch heeft Ilham ervoor gezorgd dat ze stopten met lawaai maken. Na een geslaagde nachtelijke inbraak in Lily's huis, is Ilham zelfs boos geworden op zijn bewakers die constant alert moeten blijven. Waarom hebben ze niets gemerkt? Waren ze soms in slaap gevallen? De dieven hadden met veel kabaal haar metalen rolluik met breekijzers opengebroken.

Ilhams' dochter heeft een paar keer per week pianoles. Ze speelt, nogal klungelig, muziekstukken van Beethoven, Lily's lievelingscomponist. Lily had haar opleiding aan het conservatorium opgegeven om naar haar grote liefde in de tropen te gaan. Nu klinken elke week houterige pianoklanken door de openstaande ramen uit de grote villa van deze nieuwe rijken. Het klassieke pianospel mengt zich met de monotone gebeden die uit de minaretten schallen.

Later op de avond hoor ik via luidsprekers op de nabijgelegen moskee, hoe een klas vol meisjes Koranverzen reciteert. Het harmonieuze gezang weerklinkt door de donkere diepe vallei. Ondertussen word ik ook geconfronteerd met het luidruchtige Bahasa Indonesia op de televisie. Lily zegt dat ze een beetje doof is geworden. Ik vrees het ook. Ze is een fervente televisiekijker. Na het avondeten installeert ze zich in haar gebloemde zijden nachtjapon op de zachte bank voor het televisiescherm. In die halfverlichte kamer domineren de diffuse blauwige televisiebeelden. Voortdurend zapt ze naar de verschillende Indonesische zenders. Haar huidige leven verglijdt in een vlucht van triviale televisiebeelden. Op een van de zenders danst de verleidelijke Indonesische zangeres Inul Daratista. Haar manier van dansen wordt *ngbor* genoemd, omdat ze met haar lichaam en het draaien van haar stevige billen de beweging van een handboor nabootst. Ze zingt nummers van haar populaire cd *Goyang Inul*. Haar *dangdut*-repertoire bestaat uit weemoedige liedjes. Deze moderne Indonesische popmuziek is een mix van Javaanse, Arabische en Europese stijlelementen. Bijna elke avond is ze op de televisiekanalen te bewonderen. Er is zelfs een soapserie over haar leven gemaakt, die wordt uitgezonden door de commerciële televisiezender Metro. Ze zong als jong meisje al op kleine houten podia in verschillende kampongs. De sprankelende Inul zingt, danst en acteert. Ze is de Indonesische Madonna en ongekend populair. Devote moslims beschouwen haar echter als een hoer die meewerkt aan de verloedering van de maatschappij. Ze eisen dat haar obscene televisieoptredens tijdens de ramadan worden verboden. De zangeres met de zachte rondingen zou mannen op verkeerde gedachten brengen en opzwepen tot onzedelijk gedrag. Islamisten demonstreren voor haar huis in Jakarta.

Ze schreeuwen: 'Je hoort hier niet thuis. Je beledigt de islam.'

Op een Indonesische staatszender ventileert de behoudende, grijze minister van Religie in het land met de grootste moslimbevolking ter wereld, zijn uitleg van de Koran. Hij geeft met een aantal *ulama's* adviezen aan bellers. Koranteksten vliegen over de tafel, soms zelfs in het Arabisch, gevolgd door de Indonesische vertaling. De discussie gaat over de conservatieve islamitische kleding en strikte leefregels die steeds meer tot algemene norm worden verheven. Door die puriteinse televisiepredikers wordt de zwarte *jilbab* gekoesterd alsof het een toegangskaartje voor de hemel is.

Lily kan geen internationale zenders als BBC of CNN ontvangen. In de Indonesische soaps wordt slecht geacteerd en overdreven geschreeuwd. Er is veel en langdurig televisiereclame. Soms tolkt ze voor mij bij het journaal en de actualiteitenrubrieken.

Ze leidt een geïsoleerd bestaan in dit afgesloten huis en heeft haar mobiele telefoon altijd binnen handbereik. Haar familie vindt dat ze niet alleen moet wonen. Ze zijn bang voor inbrekers of ander gespuis. Ze zou ook 's nachts een bediende of huishoudster moeten hebben. Er zijn kamers voor huispersoneel aanwezig, maar daar wil ze absoluut niets van weten.

Om tien uur 's avonds lig ik op mijn harde bed in de slaapkamer op de eerste verdieping met het onaangename uitzicht op het metershoge ijzeren hekwerk en de betonnen muren van de bijgebouwen van Ilham Habibie. Het is duister en stil. Tjitjaks, kleine onschuldige hagedisjes, bewegen zich schichtig over mijn witgepleisterde kamermuur. Dan klinkt er plotseling een doordringend geknal. In de verte zijn felle lichtflitsen waar te nemen die op vuurwerk lijken. Door het getraliede venster zie ik vaag de heuvels en het onrustige schijnsel van olielampen in de verspreid staande kamponghuizen. Na twintig minuten houdt het lawaai onverwachts op. Het geruststellende gesjirp van de krekels keert weer terug. Slapen lukt bijna niet meer.

In een gebouwtje aan de hoofdingang van Habibies villa zitten een paar bewakers. Hoewel ze elk uur een ronde over het terrein maken, is er een tijdje geleden een inbreker over het hoge achterhek geklommen. Hij heeft computerapparatuur meegenomen. Daarom hebben de bewakers bij de afgelegen uitgang van het complex een aantal alerte ganzen neergezet. Bij nachtelijk onraad kunnen deze beesten een vreselijk lawaai maken. 's Morgens vroeg word ik wakker van deze gakkende dieren. Bij het ontbijt vertelt Lily dat Indonesische commando's in de heuvelrand aan de overkant soms in het donker militaire oefeningen houden. Het is dan een oorlogszone tot het gloren van de ochtend. Het waren geen vuurpijlen maar ratelende automatische wapens.

Na de lunch pak ik mijn zwemspullen om naar de Bumi Sangkuriang, de oud-Hollandse Country Club aan de Jalan Ciputih te gaan. In de middaghitte wandel ik langs de ommuurde villa's die door schaduwrijke bomen zijn omgeven. Plotseling buigt de weg af en ik beland in een andere wereld: hier bevinden zich een paar kleine *warungs*, een werkplaats voor motoren en een braakliggend terrein met allerlei afval. Er hangt een penetrante geur. In de verte doemen de wazige lichtblauwe bergen op. Enkele honderden meters verderop bevindt zich een groot paleisachtig gebouw met ruwe koepels in grijs beton. Overal staan houten steigers tegen de onafgebouwde muren. De ingang lijkt op een Chinese tempel. Dit is echter geen paleis maar een gigantisch landhuis in aanbouw. De protserige villa's van de nieuwe rijken zijn vele malen groter dan de oude woonhuizen in koloniale stijl van deze buitenwijk.

Op een open stuk land staat een oude *waringin* met een geweldig bladerdak. De heilige boom die op zijn vele luchtwortels steunt wordt, zo zegt men, door bovenmenselijke wezens bewoond. Hij symboliseert het universum. Niemand durft zo'n oeroude boom te vellen, omdat men bang is voor de geesten die in de indrukwekkende zijtakken huizen. Een projectontwikkelaar wil hier een appartementencomplex neerzetten maar het terrein is al jaren onbebouwd gebleven. Zelfs een *dukun* durft niet aan de geesten te vragen onder welke *syarat* ze willen verhuizen naar een andere plaats. Het afhakken van takken mag nog wel maar of de betrokkene daarna bezeten wordt, is een andere zaak. Soms breekt er plotseling een tak af. Dat wordt gezien als een slecht voorteken. Er zal zich dan een sterfgeval in de familie voordoen.

Het oude clubgebouw is witgepleisterd, heeft ronde hoeken en een hellende dakconstructie met rieten bedekking. Voor de ingang staat de slanke Indonesische manager. Hij komt lachend op me af en geeft me een hand.

'Er komen hier nooit meer Hollanders', zegt hij timide.

Bij de balie staan drie jonge meisjes in grijsgroene uniformen.

Het toegangskaartje voor het zwembad kost tienduizend *rupiah*. Via het restaurant verlaat ik het pand aan de achterkant over een brede monumentale trap. Buiten staat een kronkelige boom met gele bloemen. Een mimosa. Het zwembad met een hardblauw gekleurde springplank ligt in een parkachtige omgeving waar een tiental parasols en lage, houten zitjes zijn gegroepeerd. Een man in kakiuniform met rood petje vist met een lange stok de gevallen bladeren uit het zwembad. Kinderen, die korte broeken en T-shirts dragen, rennen hard rond. Er zwemt niemand. Indonesiërs kunnen vaak niet zwemmen.

Het is regentijd. In de verte is de majestueuze vulkaan Tangkuban Prahu, wat omgekeerde prauw betekent, vaag zichtbaar. Boven de vulkaan hangen donkere regenwolken, het regent en onweert in de verte. Vlak bij mij zitten onder een parasol twee moslimvrouwen in een lange jurk en met zwarte hoofddoek die alleen het gezicht vrijlaat, de *kerudung*. Ze kleden haastig hun uitgelaten kinderen aan. Plotseling begint het ook hier te stortregenen. Iedereen rent naar het clubgebouw. De regen komt loodrecht naar beneden, klettert op mijn metalen parasol en spat op de droge grond. Ik blijf rustig zitten onder dit afdakje. Een jonge, lichtbruine kater komt aangeslopen. De bergen in de verte worden geleidelijk door de grijze nevel weer zichtbaar. Het is spoedig helemaal droog en de zon schijnt weer volop. Een dik jongetje in zwempak wordt door zijn jonge moeder, met in de ene hand een mobiele telefoon en in de andere een paraplu, achterna gezeten. Ze speelt met hem terwijl ze aan het bellen is. Een *handphone* kost, afhankelijk van het model, een half tot één miljoen rupiah, een gemiddeld maandinkomen. De tuinman haalt met een grote, lichtrode, plastic emmer water uit het zwembad om de gladde stenen vloer schoon te spoelen. Goedgebouwde Chinees-Indonesische jongemannen trekken nu baantjes in het zwembad.

Af en toe vallen uit de bomen langwerpige donkerbruine peulen knisperend op de grond. De grote club en het zwembad zijn vooral erg leeg. Dit moet in de koloniale tijd toch heel anders zijn geweest. De blanke elite van de voormalige villawijk Berg en Dal kwam hier graag om te zwemmen en feest te vieren.

Het is slechts vijf minuten lopen naar huis. De nabijgelegen moskee komt tot leven en een doordringende oproep tot het avondgebed galmt in de schemer. Langzaam rook ik een sigaar. Een zwarte vlinder fladdert voorbij. Even later is het donker. In de tropen eindigt de dag abrupt. Bij een wrakkig stalletje is het flauwe schijnsel van olielampjes te zien. Verder is de straat onverlicht en uitgestorven. Een grimmig kijkende man met een zwartfluwelen kalotje op het hoofd blijft stapvoets op een oude motor vlak achter me rijden. Even voel ik me niet bepaald senang. Ik besluit rechts af te slaan naar het Malya Hotel waar geüniformeerde bewakers in een witgekalkte stenen wachthuisje aan de kant van de weg staan. De grimmige man twijfelt even maar rijdt uiteindelijk rechtdoor.

De volgende dag neem ik weer een frisse duik in het zwembad. Er is een strakblauwe hemel met een magnifiek uitzicht op de bergen. Een paar jongens zwemmen in het lauwe water, maar verder zijn er weinig mensen. Een jong stel met een klein kind loopt over het gazon naar een metalen parasol met tafel en rotanstoelen. Ze dragen de zedige kledij van godvruchtige moslims. Hij heeft kortgeknipt haar en een zwart getrimd baardje en draagt een losvallend lang beige hemd over zijn wijdvallende broek. Zij heeft een lang gewaad en witte sluier die alleen haar gezicht vrijlaat. De jonge moeder gaat naar de kleedhokjes iets verderop en komt terug in een mondain zwart badpak met een klein donker duikbrilletje. Het zoontje krijgt opgeblazen, gekleurde plastic zwembandjes om de armpjes en wordt in het water gelaten. De vader heeft zich ook omgekleed en speelt met zijn kind in het zwembad. Na enige tijd zet hij het kind, dat nog niet kan zwemmen, op de duikplank en ze springen samen in het diepe water. Het kind spartelt en huilt. Intussen zwemt zijn vrouw rustig een aantal baantjes. Voor de buitenwereld lijkt ze een traditionele moslima maar ze gaat toch gewoon 'gemengd' zwemmen. Een eindje verderop drinken welgestelde Indonesiërs hun cocktails uit hoge glazen. Ze zijn druk in de weer met hun mobiele telefoons en pronken met handzame, zilverkleurige, digitale camera's waarmee ze elkaar voortdurend fotograferen. De westers geklede jonge mensen vermaken zich prima in de voormalige Country Club. Zij behoren tot de nieuwe rijke elite.

De avond valt. Overal hoor ik hardop biddende, diepgelovige moslims. De islam is alomtegenwoordig.

Op de terugweg loop ik even binnen bij het grote moderne Malya Hotel. Het parkeerterrein is bijna leeg. In de open eetzaal heb je naar alle kanten een panoramisch uitzicht op het berglandschap. De voorkomende hotelmanager vertelt dat de bezetting momenteel onder de vijftig procent ligt. Door de aanslagen en de terreurdreiging komen er bijna geen westerse toeristen meer. Het hotel is nu vooral afhankelijk van Indonesische congresbezoekers en Japanse, Maleisische en Taiwanese vakantiegangers.

'We had to survive', concludeert de manager met een somber gezicht.

Vervolgens wandel ik langs het rustige hotel en een paar oude villa's tot ik weer bij het beveiligde metalen toegangshek van Habibies compound kom. De Indonesische bewakers kijken me wantrouwig aan. De deur van Lily's villa staat al open. De tengere baboe Minah draagt een eenvoudige sarong en een baadje met lange mouwen. Ze sloft niet zoals veel Indonesische vrouwen over de witmarmeren vloer.

'Ze beweegt zich als een prinses uit Surakarta', zegt Lily. 'Maar ze is wel Oost-Indisch doof. Ze wil bepaalde opdrachten gewoon niet horen. Je moet ook altijd bij haar in de buurt blijven anders doet ze niets. Als je haar goed in de gaten houdt, gaat ze extra lawaai maken om te laten zien dat ze druk bezig is', voegt ze eraan toe.

Minah is veertig jaar en als weeskind op dertienjarige leeftijd uitgehuwelijkt. Haar man is een paar jaar geleden aan een verwaarloosde ziekte overleden. Een ziektekostenverzekering is voor kampongmensen gewoon onbetaalbaar. Ze is analfabeet en trots dat haar vier kinderen in de leeftijd van zeven tot twintig jaar wel kunnen lezen en schrijven. In het bijgebouw heeft ze een eigen slaap- en badkamer maar ze blijft nooit overnachten. In de kampong is geen warm water en als ze niet fris ruikt, moet ze zich eerst baden en haar kleren wassen. Ze werkt van zeven tot één uur 's middags. Elke dag maakt ze de kamers en de stenen vloer schoon, ze lapt de ramen en doet de afwas in de keuken. Kleding wordt door haar gewassen en gestreken. Als de postbode of chauffeur langskomt doet ze heel vrolijk en opvallend.

'Als de jonge tuinman komt is ze nogal opgewonden. Hij wordt door haar in de watten gelegd', constateert Lily.

Op een ochtend was mijn 'tijgeroog' uit Zuid-Afrika, een kleine gladde halfedelsteen met twee oplichtende gele banden verdwenen. Later bleek dat Minah hem uit mijn broekzak had gehaald. Ze had mijn broek gewassen maar de steen achtergehouden. Verlegen gaf ze me de talisman weer terug.

'Spullen van gasten moet je afgeven anders zoekt iedereen zich een ongeluk', merkte Lily op.

Een paar maanden later begon Minah stiekem parfumflesjes en kleingeld mee te nemen. Voor het eerst maakte ze zich op en bleef lang voor de spiegel staan. Lily vroeg zich af of ze soms een nieuw vriendje had. Op een gegeven moment had Minah met een onheilspellende blik gezegd : 'Waarom bezit jij alles en ik helemaal niets.'

'Het dienstmeisje was jaloers en werd onbetrouwbaar', zei Lily. Ze voelde zich ongemakkelijk en besloot Minah na jarenlange dienst te ontslaan.

'Ik had genoeg van haar brutale hoofd', gaf ze met een diepe zucht toe.

Een vriendelijke generaal

Lily kent via het netwerk van haar man en haar aangetrouwde familie de militaire en politieke machthebbers van de jaren vijftig en zestig. Deze oude elite, die de koloniale tijd nog bewust heeft meegemaakt, is nu gepensioneerd. We zijn geïnviteerd bij de oud-generaal H. Mashudi en zijn vrouw Bing in hun grote witgepleisterde villa met ronde architectonische vormen aan de Jalan Juanda in Bandung. Mashudi was van 1960 tot 1970 gouverneur van West-Java.

Hij was een trouwe bondgenoot van Soeharto en medeverantwoordelijk voor de uitschakeling van de radicale moslims van de Darul Islam en de communisten op West-Java in de jaren zestig. De vriendelijke oud-generaal met zijn grote zwartomrande bril en *peci* op zijn kale hoofd neemt mijn doos met Willem II-sigaren in ontvangst. Mashudi is een bedaarde oude man van boven de tachtig.

'De bedevaart naar Mekka verandert je leven. De islam is de meest volmaakte religie. Een *hadji* heeft een speciale band met Allah en daar leef ik ook naar', zegt hij bedeesd.

We worden voorgesteld aan zijn bejaarde echtgenote Bing die een roodzijden broekpak draagt en slecht ter been is. Ook aanwezig is haar goede vriendin, de tachtigjarige Anneke, die zichzelf lachend 'freule' noemt. Zij is de dochter van de oud-regent van Buitenzorg. Haar vader was bestuurder op Java van 1925 tot 1948. Ze is pas later tot de islam bekeerd en een *hadja* geworden. Vroeger droeg ze westerse kleding maar nu heeft ze haar hoofd met een traditionele hoofddoek bedekt. De freule ziet eruit als een oude, opgemaakte prinses uit een sprookje. Ze heeft op een Hollandse middelbare school gezeten en spreekt een ouderwets soort Nederlands. Pas na de geslaagde Indonesische revolutie leerde ze voor het eerst Bahasa Indonesia. Lily en ik nemen plaats in de voorkamer die gedecoreerd is met witblauwe porseleinen Chinese vazen, kleurrijke olieverfschilderijen, antieke klokken en omvangrijke hardhouten kasten. Mashudi, die ook Nederlands spreekt (en droomt), voltooide de Technische Hogeschool in Bandung. Destijds bestonden de studenten voor de ene helft uit Hollanders en de andere helft uit Chinezen en Indonesiërs.

Hij vertelt over het onderwijs in de koloniale tijd: 'In de negentiende eeuw was de inlandse bevolking volkomen tevreden met het bezoek van hun kinderen aan de *pesantren* waar het naspreken en vanbuiten leren van de Koran de belangrijkste bezigheid vormde. Slechts de Javaanse bovenklasse zag het nut van lezen, schrijven en rekenen in. Zij hadden het geld om hun kinderen naar de Europese School te zenden. Er waren ook opleidingen voor inlandse ambtenaren, artsen en onderwijzers. De Middelbare Opleidingsschool voor Inlandse Ambtenaren (MOSVIA) werd in Bandung in 1905 opgericht. In de hoogste klassen werd ook onderricht in zelfverdediging gegeven. Er werd zelfs gepraktiseerd in revolver schieten. Per jaar werden er zestig Javaanse ambtenaren opgeleid. Natuurlijk was dat wel erg weinig om zo'n groot land later zelfstandig te kunnen besturen.'

Na de Japanse nederlaag wilde Nederland de koloniale situatie in Indië weer continueren.

Mashudi zegt dat de Nederlandse regering in de periode van dekolonisatie behept was met een kruideniersgeest. Zelfs de in Indië geboren gouverneur-generaal Huib van Mook, hij werd beschouwd als een 'Indische jongen', wordt door hem als conservatief bestempeld.

'Het was een crazy situation', herinnert hij zich.

Met zijn opleiding en achtergrond bracht hij het tot stafofficier bij de West-Javaanse Siliwangi-divisie. Na de tweede militaire actie, eind december 1948, maakt hij de befaamde 'Lange Mars' van de Siliwangi-divisie van Midden- naar West-Java mee. Aandachtig bekijkt hij het fotoboek over de tweede militaire actie (door Indonesiërs Agressi II genoemd) dat ik hem heb overhandigd. Op deze destijds niet vrijgegeven foto's die zijn gemaakt door legerfotografen is bijvoorbeeld te zien dat gevangengenomen jonge Indonesische mannen door Nederlandse militairen naar een dichtbegroeide vallei in de buurt van Magetan op Oost-Java worden weggevoerd. Op de laatste foto uit deze reeks zijn alleen nog de gewapende Hollandse soldaten te zien. De oud-generaal negeert deze beelden, maar vertelt een verhaal dat hij onlangs heeft vernomen. Een Nederlandse officier van de Koninklijke Landmacht moest in 1946 de minderjarige Indonesische vrijheidsstrijder Masman Bekti doodschieten. Bekti sprak goed Nederlands en bepleitte zijn zaak. Hij was opgepakt wegens illegale wapensmokkel. De bevelvoerende officier had de vrijheidsstrijder volgens zijn rapport in de omgeving van Surabaya doodgeschoten maar in werkelijkheid werd de jonge Bekti vrijgelaten. Mashudi zegt dat sommige Nederlandse militairen wel begrip hadden voor de vrijheidsstrijd van het Indonesische volk. In die tijd werd Nederland geconfronteerd met een *lack of information* over de koloniale oorlog in het verre Indië. De berichtgeving in de geschreven media maar ook de foto's en journaalfilms werden gecensureerd.

'Zou het Nederlandse volk (en de ruim honderdduizend uitgezonden dienstplichtigen en oorlogsvrijwilligers) zich bij een meer onafhankelijke verslaggeving sterker tegen deze oorlog hebben gekeerd?', vraag ik me hardop af.

'De Nederlandse bevolking speelde geen enkele rol van betekenis. De politieke en militaire elite bepaalde wat er moest gebeuren met Nederlands-Indië. Het machtsspel vond achter de schermen plaats', beweert Mashudi.

In 1949 waren er zelfs drie regeringen in West-Java. De Negara Pasundan, een Nederlandse constructie, de Negara Indonesia Nasional van president Soekarno en de Negara Islam Indonesia die was geproclameerd door de fundamentalistische islamleider Kartosuwirjo.

Nadat de Nederlanders begin 1950 waren vertrokken, ontvlamde er een interne strijd tussen het centrale gezag in Jakarta en de fanatieke aanhangers van de Darul Islam, voorstanders van een islamitische staat. Hun militaire macht, de Hizbullah (Leger van Allah) was goed bewapend en georganiseerd.

'Het was een erg gevaarlijke situatie voor de jonge staat Indonesië', zegt de oud-politicus. Gouverneur Mashudi werd regelmatig door een zwaar bewapend militair konvooi van Bandung naar Jakarta gereden. 's Nachts waren de islamitische strijders helemaal de baas. Ze deden overvallen, sabotageacties en ontvoeringen. Het was een interne oorlog op West-Java', zegt hij overtuigend.

Er werden ruim twintigduizend Indonesiërs vermoord, vierduizend mensen werden ontvoerd en meer dan honderdduizend huizen werden in brand gestoken. Toen heeft Mashudi de volksweerstand, een soort vrijwilligerskorps, opgericht. Deze gewapende milities waren de 'ogen en oren' van het regime. Hij laat een oude foto uit 1962 zien waarop zijn vrouw Bing tijdens een defilé aan het hoofd van een grote groep vrouwelijke vrijwilligers marcheert.

In datzelfde jaar vond een omvangrijke militaire operatie plaats die een eind maakte aan de Darul Islam. Maar het ideeëngoed van de islamitische beweging is altijd blijven bestaan. Momenteel verkondigt een nieuwe generatie moslimmilitanten, die was uitgeweken naar Maleisië, de compromisloze variant van de islam. Mashudi was tijdens de communistenjacht in 1965/1966 werkzaam als gouverneur van West-Java. Hij zetelde in het gouverneurskantoor (het bekende Satéhgebouw) in Bandung.

Over de coup van 30 september 1965 en de daaropvolgende periode van geweld en beroering wil hij niet praten. In die tijd werden ook linkse intellectuelen en kunstenaars gevangengezet. Zo bezocht hij persoonlijk de kunstenaar Hendra Gunawan tijdens zijn gevangenschap in de Soekamiskingevangenis te Bandung. De schilder werd bekend door zijn indringende schilderijen van de strijd tegen de Nederlanders. Hij was geïnterneerd vanwege zijn lidmaatschap van de kunstenaarsvereniging LEKRA (Lembaga Kebudajaan Rakjat, Instituut voor Volkscultuur) die was gelieerd aan de communistische partij. Hendra wilde weer schilderen en Mashudi gaf hem een aantal kwasten, verf en linnen doeken. In zijn kleine cel schilderde hij een kleurrijk en nogal expressief portret van een getourmenteerde man met kind. Dit langwerpige schilderij van circa 180 x 50 cm hangt nog steeds prominent aan de muur in de salon van Mashudi's villa. Hij merkt lachend op dat de huidige waarde van dit werk zeker vijfhonderd miljoen *rupiah* is (vijftigduizend dollar) terwijl het hem destijds aan schildersspullen slechts vijf dollar heeft gekost. In zijn grote woonkamer hangen ook traditionele olieverfschilderijen van vulkaanlandschappen en een tekening van een Balinese vrouw. Mashudi overhandigt me zijn autobiografie uit 1998 en schrijft hierin een korte opdracht. Hij geeft ook Soekarno's gebundelde verdedigingsrede 'Indonesia Menggugat' (Indonesië klaagt aan) die hij in 1930 hield voor de Landraad in Bandung. Bij het afscheid worden we uitgezwaaid door de oud-gouverneur, zijn echtgenote en de freule.

Twee jaar later vernam ik dat Mashudi in Bogor was overleden en dat zijn stoffelijk overschot naar Bandung was vervoerd. De Jalan Juanda was afgezet met een militaire wacht. Zijn kist werd op een affuit eerst naar de *mesjid* en daarna naar het voormalige gouverneurskantoor gereden. Daar konden de ambtenaren langs zijn baar defileren. Hij is begraven op de erebegraafplaats in Bandung.

De Chinese amateurschilder

Het is een benauwde tropische middag. Lily en ik worden hartelijk begroet door haar oude vrienden, een beminnelijke Chinese man en zijn Indische echtgenote. De tachtigjarige ondernemer Jo met zijn zwart geverfde haren ziet er redelijk jong uit voor zijn leeftijd. Hij hoort alleen slecht. In een schaduwrijke straat bewoont hij een villa met een goed onderhouden tuin. In het midden staat een dominante, breed uitgegroeide treurwilg.

De serre staat vol tropische planten. Jo is een fervente amateurschilder. In de woonkamer hangen zijn kleine olieverfschilderijen van Hollandse winterlandschappen, waarop onder andere schaatsende kinderen zijn afgebeeld die op een kleine bevroren vijver schaatsen. Ook schilderde hij een pastoraal weidelandschap met Hollandse koeien.

'Mijn *roots* liggen in Indonesië, maar ik heb me altijd op het Westen georiënteerd. Thuis spreken we ook Nederlands. Dit land is kwetsbaar en grillig. Je wordt hier niet beschermd. Plotseling kan alles omslaan en vernietigd worden', zegt hij openhartig.

Zijn vrouw Jeanne, een vlotte praatster, is geboren in Irak. Haar vader was een Nederlander die voor de Tweede Wereldoorlog voor een Britse oliemaatschappij in Irak werkte. Op een afgelegen plek in de woestijn kreeg hij autopech. Hij maakte de dodelijke vergissing zijn auto te verlaten. De instructies waren om bij autopech in de woestijn altijd te wachten op hulp, maar haar vader had geen geduld. Hij is in de verschroeiende zon door de eindeloze zandvlakte gaan lopen en door een zonnesteek bewusteloos geraakt. Daar heeft een reddingsploeg hem dood aangetroffen, een paar kilometer van zijn terreinwagen verwijderd. Hij ligt begraven in Irak. Haar Javaanse moeder bleef met haar dochter alleen achter en keerde terug naar Bandung.

De nuchtere Indo-Europese Jeanne durft niet te zeggen dat geesten niet bestaan. Daarvoor heeft ze te veel gezien. Ze vertelde dat ze op een avond wakker werd in hun eerste huurhuis in Bandung. Via het kleine gangetje liep ze naar het toilet. Door een glazen wand kon je direct in de ommuurde achtertuin kijken waar een grote boom stond. Het was volle maan. Achter de boom zag ze een witte gedaante langzaam naar de achtermuur van de tuin lopen. Ze voelde geen angst en ging weer terug naar de slaapkamer. De volgende ochtend vertelde ze haar moeder dat ze iemand in de tuin had gezien. Er werden echter geen voetsporen aangetroffen. Een paar weken later vertelde de Indische buurjongen dat hij een witte verschijning in hun woonkamer had gezien toen hij met zijn scooter langsreed. Hij ging terug om te kijken, maar het wezen was in het niets verdwenen. Toen Jeannes moeder de huiseigenaar in de winkelstraat Jalan Braga tegenkwam, vroeg ze: 'Wat heb je toch in jouw huis?' Er verscheen een flauwe glimlach op zijn lippen. Hij antwoordde stoïcijns: 'Oh, iemand die daar waakt, een overleden *hadji*.'

Haar moeder reageerde boos: 'Dat had je wel eens eerder kunnen vertellen.'

Jeanne vertelt dat elk huis zo zijn eigen medebewoners heeft. In haar oude huis zat een *orang halus* bij zijn geliefde plek, de waterput. Ze vroeg aan een *dukun* hoe ze deze rondwarende schim kon laten verdwijnen.

Haar werd verteld dat ze na zonsondergang een uitgebreide maaltijd moest bereiden en harsblokjes met opium op de gloeiende houtkool in een *anglo* moest leggen. Deze rustgevende, bedwelmende geuren zouden de geest, die alleen kan ruiken, op zijn gemak stellen. De dukun zou hem dan verzoeken om te vertrekken. Jeanne had echter het eten buiten de deur besteld en dus niet zelf bereid. Dat was een grote vergissing, want de geestverschijning raakte juist ontstemd. Sindsdien verdween er voortdurend geld uit haar portefeuille en raakten allerlei spullen in huis zoek. De geest werd steeds kwaadaardiger. Opnieuw was het advies een *selamatan* te houden om deze kwelduivel definitief uit te schakelen.

Tijdens de Japanse bezetting logeerde het dertienjarige Indische meisje Jeanne met haar moeder in een bungalow aan de toen nog stille Lembangweg halverwege Bandung en Lembang. De Hollandse eigenaren waren opgepakt en in het Jappenkamp geïnterneerd.

In de buurt stond de afgelegen Villa Isola, het bekendste bouwwerk van de vermaarde Indische architect Charles Wolff Schoemaker, Soekarno's leermeester en vriend. De vorige eigenaar was de Indo-Europese Dominique Berretty, directeur van het persbureau ANETA, de machtigste man in de Indische journalistieke wereld. In december 1934 kwam hij onverwachts om het leven bij een ongeluk met het roemruchte KLM-toestel de Uiver, in het Irakese deel van de Syrische woestijn.

Zijn Indische dochter Gerda Berretty die toen in een Amsterdams hotel logeerde, beweerde dat op het moment van de noodlottige crash plotsklaps een olieverfschilderij van de muur was gevallen. Berretty had grote schulden gemaakt om zijn droomvilla te realiseren. Zijn persbureau had juist in die crisistijd slechte resultaten geboekt. Na Berretty's dood werd de villa met inboedel en al doorverkocht aan Grand Hotel Savoy Homann, waarvan het een dependance werd. De kapitale villa in art-decostijl met grote vijvers lag strategisch op een heuveltop. Vanaf het dakterras had je een magnifiek panoramisch uitzicht op de hoogvlakte van Bandung en de vulkaan de Tangkuban Prahu. Op een avond sloop Jeanne met haar vriendinnetje in het schemerdonker naar de verlaten, onverlichte Villa Isola aan de andere kant van de Lembangweg. Hun tocht ging dwars door verwilderde tuinen en kapotte afrasteringen. Uit angst hielden ze elkaar krampachtig bij de hand vast. Er was niemand te zien. De voordeur stond open. Het was griezelig en heel stil. Ze staken een kaars aan. Voorzichtig liepen ze de brede trap naar de eerste verdieping op. Het gebouw was helemaal leeg. Later hoorde ze dat kampongbewoners de villa al hadden geplunderd voordat de eerste Japanse militairen arriveerden.

Jeanne maakte de naoorlogse Bersiaptijd in Bandung mee. Het was een chaotische tijd. Tijdens de zware moesson in november 1945 werden door Indonesische ongeregelde strijdgroepen nachtelijke aanvallen op de onbeschermde villawijk Ciumbuleuit, het oude Berg en Dal, aan de buitenrand van Bandung uitgevoerd. Ze kwamen uit de nabijgelegen dichtbegroeide heuvels en gingen vreselijk te keer in de afgelegen villa's.

'De volgende ochtend zag ik opgezwollen lijken van (Indische) Nederlanders in de wildstromende Cikapundungrivier drijven. Het was zwaarbewolkt en somber weer. De stemming in de stad was nogal bedrukt', zegt Jeanne op zachte toon.

De Brits-Indische troepen, het tijdelijk gezag op Java, boden weinig bescherming aan de (Indo)Europeanen. De Nederlandse oorlogsvrijwilligers waren nog niet gearriveerd. In Bandung ontstond een stadsguerrilla, er werd gevochten tussen de Britse militairen en de *pemuda's*. Eind maart 1946 begon een Brits offensief om de stad in zijn geheel weer onder controle te krijgen. Als gevolg van de Britse overmacht moesten de pemuda's zich terugtrekken. Ze kregen de opdracht om Bandung in brand te steken. Hier en daar werden Europese kantoren en huizen in brand gestoken. Op de weg naar het bergplaatsje Lembang stonden villa's in vuur en vlam. De pemuda's hadden geen tijd om al die koloniale gebouwen in brand te steken, maar ze deden later voorkomen of half Bandung was afgebrand. Hun leuze was *Bandung lautan api* oftewel Bandung één vuurzee.

'Dat was sterk overdreven', aldus de Indische Jeanne.

Na de onafhankelijkheid moest Jeanne Indonesisch leren. Ze werkte aanvankelijk op de administratie bij een Nederlands bedrijf, maar ze kocht later van een vertrekkende Hollander een winkel op de bekende Jalan Braga. Zijn Indische echtgenote was door de Bersiaptijd nogal gestrest geraakt.

Jeanne vertelt met weemoed over Bandung in de jaren vijftig. Een heerlijke tijd. Op zwoele avonden was iedereen buiten. De mensen in de vrijstaande huizen zaten in rotanstoelen op hun voorgalerij de krant te lezen, te drinken of te praten. Staande schemerlampen gaven een geelachtig omfloerst licht in de donkere nacht. Later bleef men alleen nog op de achtergalerij vanwege de toenemende onveiligheid, het verkeerslawaai en de talloze voorbijgangers op straat. Bandung veranderde van een open in een meer gesloten stad. Voor de blanke zakenlieden, planters en andere 'blijvers' was er nog wel een uitbundig uitgaansleven. In de imposante koloniale hotels Preanger en Homann dansten en dronken ze tot diep in de nacht. En natuurlijk werd er gefeest bij de populaire besloten sociëteit Concordia. De Nederlandse elite behield zijn eigen bolwerken, die voor Indonesiërs feitelijk niet toegankelijk waren. In 1957 veranderde de situatie toen veel Nederlandse fabrieken, bedrijven, banken en openbare gebouwen als Concordia werden genationaliseerd. De al sterk gedecimeerde blanke en Indische elite week uit naar de fameuze Country Club in de buitenwijk Ciumbuleuit van Noord-Bandung. Nu kwamen hier ook de nieuwe machthebbers: Indonesische officieren en zakenlui. Na verloop van tijd werd deze club omgedoopt tot Bumi Sangkuriang; de naam is tot op heden zo gebleven en in de grote balzaal of in de tuin vieren de welgestelde Indonesiërs met harde livemuziek hun feesten tot vroeg in de ochtend.

De astronoom

Langzaam rijden we achter een gammele autobus aan, die een zwarte wolk van uitlaatgassen uitbraakt. We gaan over de Jalan Setiabudi (de oude Lembangweg), de Indonesische naam van de Indische Nederlander Ernest Douwes Dekker, een achterneef van Multatuli, bekend als nationale vrijheidsheld en mentor van de eerste president, Soekarno. Deze drukke weg met chaotisch verkeer kronkelt door de heuvels naar Lembang. Langs de hele route staan rommelige stalletjes. De indrukwekkende Villa Isola staat op een markante plek in het landschap maar is tegenwoordig vanaf de weg nog nauwelijks te zien, doordat overal in de omgeving nieuwe gebouwen zijn neergezet. Er is soms heel even zicht op het nog steeds aantrekkelijke berglandschap en de vulkaan Tangkuban Prahu.

Ditmaal zijn we op weg naar het beroemde Bosscha Observatorium nabij Lembang dat zich op dertienhonderd meter hoogte bevindt. De bekende Nederlands-Indische filantroop Karel Bosscha, 'de theekoning van de Malabar', heeft de Lembangse Sterrenwacht gesticht en de grote Zeiss-telescoop geschonken. Het is een strategische plek, heel dicht bij de evenaar gelegen, en uitermate geschikt voor het observeren van het heelal. De oprit is moeilijk te vinden en we vragen de weg aan een paar motorrijders. Ze verwijzen ons naar een metalen toegangshek waarachter een nogal steil oplopende geasfalteerde weg is te zien. Met geringe snelheid cirkelen we langs een berghelling omhoog. De witte koepel van de sterrenwacht steekt af tegen de groene vegetatie.

De voormalige directeur van het Bosscha Observatorium, prof. dr. Bambang Hidayat, woont na het overlijden van zijn vrouw alleen in het oud-Hollandse koloniale huis op deze afgeronde bergtop. Hij is een bekend astronoom en historicus. Een aantal nieuwe hemellichamen is door hem ontdekt. Lily kent de erudiete, elegante Bambang al heel lang.

Vanaf het bordes met lage natuurstenen muur is er door de begroeiing een prachtig uitzicht; door de voortjagende wolken en een waanzinnig felle zon veranderen de grillige bergketens en vulkaanhellingen voortdurend van vorm en kleur. Een donkerpaarse bougainvillea is omhoog gekropen langs een breed uitwaaierende boom. In de exotische plantentuin rondom het huis staan allerlei struiken, bloemen en bomen, die destijds uit heel voormalig Nederlands-Indië hiernaartoe zijn gebracht. Bambang snijdt met zijn mes een stukje bast van een kaneelboom. De bast ruikt heerlijk, wordt gedroogd, in stukjes gesneden, fijngestampt en tot kaneelpoeder verwerkt. Op de veranda's staan aardewerken potten met weelderige planten. Via de veranda aan de zijkant van het huis kom je in de voorkamer waar brede rotanstoelen staan die zijn bekleed met zachte bruine kussens. De okerkleurige plavuizen contrasteren met de groen geschilderde deuren. Op een rotan tafel met glazen plaat staat een theepot onder een ouderwetse theemuts. In de vensterbank rust een oude koperen telescoop op een mahoniehouten voetstuk. Het inwendige van dit huis is doordrongen van melancholie. Bambang heeft trots zijn zevenjarige kleindochter op schoot genomen. Zijn zoon en schoondochter die in Duitsland wonen en werken, logeren hier tijdelijk. De koffie wordt geserveerd met Hollandse speculaasjes en op de achtergrond is het bekende liedje: 'Kun je nog zingen, zing dan mee' te horen.

De boekenkasten puilen uit van de historische werken over de dekolonisatie en de koloniale tijd. Bambang spreekt goed Nederlands en Engels. We praten over mythevorming en dekolonisatie. De beelden over de koloniale oorlog zijn gemaakt door Nederlandse legerfotografen; Hollandse soldaten waren krachtig, groot, goed doorvoed en voorzien van moderne militaire uitrusting en zware wapens. Ongewild ontstaat de indruk dat de Indonesische vrijheidsstrijd weinig voorstelde. Wat niet het geval is geweest, benadrukt Bambang. Indonesische guerrillastrijders waren weliswaar licht bewapend maar werden door nagenoeg de hele bevolking gesteund. Zij wisten feilloos de weg in elke kampong, landstreek en bergketen. En ze vochten voor hun vrijheid.

Bambang pakt het boek *Westerlings oorlog* van de militair historicus J.A. de Moor uit de kast. Kapitein Raymond Westerling was de commandant van het Korps Speciale Troepen.

'Het was een meedogenloze vechtmachine. De arrogante Westerling werd niet vanwege zijn oorlogsmisdaden op Zuid-Celebes en West-Java uit zijn functie gezet, maar omdat hij moeite had met de militaire hiërarchie. Pas eind 1948 besloot de Nederlandse legertop hem te vervangen door een professionelere KNIL-officier', zegt Bambang met gesmoorde stem.

In Indonesië wordt hij nog steeds als het vleesgeworden kwaad gezien. Een blanke huurling die in de tropen ontaardt, zoals de geflipte ivoorhandelaar Kurtz in de roman *Heart of Darkness* van Joseph Conrad. In de afgelegen binnenlanden verdween bij Westerling en zijn manschappen elke vorm van beschaving. Duizenden mensen werden door hen meedogenloos geliquideerd.

Een splinternieuwe landrover rijdt onverwachts het smalle pad op.

'De oud-bestuurder van Bandung komt eraan!', zegt Bambang lichtelijk nerveus.

Een rijzige Indonesische man met militaire baret loopt zelfverzekerd met zwaaiende armen door de tuin, opent de deur en staat in de kamer. Lachend schudt hij ons de hand. Hij is gekleed in een lichtblauwe lange broek en een donkerblauw overhemd; in de borstzak steekt een dikke gouden vulpen. Hij lijkt een ex-militair in een burgerpak. Zijn chauffeur, een afgetrainde bodyguard, wacht buiten bij de glimmende jeep. De druk in het Bahasa Indonesia en Nederlands pratende man is oud-kolonel Sani Abdulrachman. Hij behoort tot de eerste naoorlogse generatie officieren die later veel macht heeft verworven. In de periode 1983–1988 was hij bestuurder van Bandung. In zijn jonge jaren was hij Indonesisch kampioen tafeltennis en reisde hij over de hele wereld. Nu komt hij met Bambang praten over het tegenhouden van de bouwactiviteiten in de omgeving van de sterrenwacht: een projectontwikkelaar wil hier onder andere een *shoppingmall* realiseren.

'Er moet een veiligheidszone worden ingesteld waar niet mag worden gebouwd. Tijdens de donkere tropennacht wordt de astronomische waarneming van de hemel ondermijnd door het kunstlicht van de nabijgelegen huizen en gebouwen', zegt Bambang bezorgd.

Schatrijke mensen kopen voor veel geld bij de lokale overheid bouwvergunningen om villa's op toplocaties neer te zetten. Ze willen hun zwarte geld omzetten in grote bouwprojecten.

'Het is louter hebzucht.'

Abdulrachman schudt met zijn linkerhand waaraan een gouden zegelring prijkt en mompelt met een besmuikte glimlach 'money ruins the world'.

Ze willen voorkomen dat rond het observatorium nog meer wordt gebouwd. Binnenkort hebben ze over deze affaire een gesprek met de nieuwe gouverneur van West-Java.

'De vorige gouverneur, een fervente Soeharto-aanhanger, was niet voor rede vatbaar maar deze nieuwe bestuurder is wel bereid om te luisteren', zegt hij met een hoopvolle blik.

We nemen afscheid van Bambang en de oud-kolonel en rijden door naar het nabijgelegen Lembang, dat in de koloniale tijd een drukbezocht vakantieoord was. Het ooit stijlvolle Grand Hotel Lembang, dat ik alleen van oude foto's ken, is grotendeels gesloopt. Het nieuwe hoofdgebouw ligt er verlaten bij. Alleen de lage bijgebouwen met rode dakpannen en de vertrekken in oude stijl zijn nog bewaard gebleven. De gordijnen voor de kleine ramen zijn gesloten en de kamers lijken onbewoond. De oude koloniale gebouwen zijn in verval geraakt. Overblijfselen van een andere wereld. De ruisende *cemara's* bij het hotel zijn verdwenen. Maar het betoverende berglandschap is in de verte nog vaag zichtbaar.

Op de terugweg ontmoeten we de vijftigjarige Hollandse Lucy in een supermarkt in het centrum van Bandung. Ze kent *ibu* Lily, de oudste expat in deze miljoenenstad. Lucy ziet er vermoeid uit. Ze woont ruim twintig jaar in Bandung en was getrouwd met een Indonesische man die is overleden. Haar zoon werkt in een generatorenfabriek te Medan op Sumatra. Nu woont ze alleen in deze overvolle stad.

'Ik heb sinds kort een baan als consulair medewerker op het Hollandse consulaat in de stad', zegt ze trots. De ambassade ontfermt zich soms over Nederlandse staatsburgers die in een precaire situatie zijn beland. Terwijl ze haar boodschappenwagentje wegzet, merkt ze enthousiast op:

'Ik vind Bandung nog steeds bijzonder. Binnenkort geef ik Nederlandse les op de Hotelvakschool.' Vervolgens loopt ze traag de winkel uit, de klamme hitte tegemoet.

Eindelijk is de regentijd begonnen. Tegen het eind van de middag begint het hevig te plenzen. De regen valt loodrecht naar beneden. Het wordt heerlijk koel in huis. De geur van natte aarde en vegetatie hangt boven de veranda. De *kabar angin*, de wind die berichten meevoert, heeft mijn komst al aangekondigd. De nieuwsgierige Sundanese Elly, de tweede ex-vrouw van Amir, komt even langs. Ik word voorgesteld als *sepupu*. Elly heeft twee kinderen van Amir, de zachtaardige Maya en zoon Budi die polio heeft gehad en een beetje mank loopt. Uit een eerder huwelijk had ze al drie kinderen. Ze heeft een mooi glad gezicht en ziet er voor haar zestig jaar erg goed uit. Elly draagt een hooggesloten *kebaja* die met bloemmotieven is bedrukt en een gekleurde hoofddoek. Zo kleedt ze zich sinds haar pelgrimstocht naar Mekka.

'Het past een moslimvrouw niet zich aan de blikken van mannen bloot te stellen', zegt ze fijntjes. Na afloop van deze ontmoeting merkt Lily bijna toonloos op: 'Ze is erg veranderd.'

Vijftien jaar geleden, toen Elly nog met Amir omging, droeg ze geen decente islamitische kleding. Ze zag er heel westers uit en flaneerde in een korte strakke rok en een nonchalant open geknoopte blouse door het centrum van Bandung.

De volgende ochtend rijden we met de Javaanse chauffeur in een lichtgrijze Kijang over de Jalan Diponegoro naar het grote regeringsgebouw (het parlement van West-Java) ook wel Gedung Satéh genoemd vanwege de ijle spits op de top van dit gebouw. Hier wordt in de open lucht een drukbezochte zondagsmarkt gehouden.

Na een bezoek aan de markt rijden we weer terug naar de brede en overvolle Jalan Asia-Afrika, vroeger de Grote Postweg geheten, die precies in het midden van Bandung ligt. Daar bevinden zich de 'tropische' art-decogebouwen zoals de Grand Hotels Preanger en Savoy Homann, en de sociëteit Concordia (het huidige Gedung Merdeka). Dit was hét chique centrum van het koloniale uitgaansleven. Het lijkt helemaal niet meer op de oude zwart-witbeelden van het filmpje *Thuis in Indië, het leven der Europeanen* uit de jaren twintig van de vorige eeuw, waarop te zien is hoe de hotelbus over de nog bijna uitgestorven Grote Postweg bij Hotel Homann aankomt. Kolonialen in witte tropenpakken stappen uit en nemen rustig plaats op het open terras. Later dineren ze aan fraai gedekte tafels in de ruime eetzaal. Op de hoek van de Grote Postweg met de luxueuze winkelstraat Braga is de zijgalerij van sociëteit Concordia met zijn gestreepte linnen zonneschermen en terrassen vol drinkende officieren en ambtenaren gefilmd. Ze kijken vrolijk, zwaaien en willen laten zien dat ze het naar hun zin hebben in de kolonie. Maar ze lijken te leven in een onwerkelijke, nogal naar binnen gekeerde wereld.

Nu ligt het hermetisch afgesloten gebouw Concordia aan de drukke verkeersweg Jalan Asia-Afrika, die de grens markeert tussen Noord en Zuid Bandung. Verderop bevindt zich een centraal plein (*alun-alun*) met de nieuwe Mesjid Agung, een enorme moskee met hoge minaretten en in het midden een koepel van donkergroen glas dat glinstert in de felle zon.

Het lijkt wel een verkeerstoren van een luchthaven.

We vervolgen onze autotocht. De chauffeur wijst naar een groot, vaalwit, oud gebouw met een rood-witgeblokte schoorsteen waarvan de top is begroeid met een weelderige struik.

'Zo vruchtbaar is dit land', zegt hij lusteloos, 'Dat was eens de beroemde kininefabriek.'

'Oh, Bandung, Oh, Bandung, mooie stad omringd door de bergen', declameert Lily weemoedig. Ze mist de sfeer van het oude Bandung met zijn lommerrijke villawijken en groene parken. Onderweg vertelt Lily over de moeizame verlenging van haar Indonesisch paspoort. Ruim drie uur wachtte ze op haar paspoort in een kantoor te Bandung. Het liep tegen half twaalf. Het was vrijdag en het personeel maakte aanstalten om voor het middaggebed naar de moskee te gaan. Dan zou ze nog anderhalf uur langer moeten wachten.

Jan Zweers, gefotografeerd in mariniersuniform met Lombokkruis bij terugkomst in Den Helder, 1896. Op achttienjarige leeftijd ging hij in het voorjaar van 1892 als tamboer en hoornblazer bij het Korps Mariniers naar Nederlands-Indië.

Links: Lily, augustus 1950, Utrecht. Een jaar later, in de zomer van 1951, vertrok de studente van het Utrechts Conservatorium op achttienjarige leeftijd naar haar geliefde Amir in Indonesië.

Onder: Lily met de Indonesische Anneke (links) en Bing (rechts), echtgenote van de gouverneur van West-Java, Mashudi, begin jaren zestig, Bandung.

Rechts: Lily met baby Guntur in de tuin van haar oud-Indische woonhuis, 1952, Bandung. De jonge moeder in gelukkiger tijden.

Links: Guntur, zoon van Lily, begin jaren tachtig, locatie onbekend.

Inzet: Dewi, dochter van Lily. Hier is ze nog een blond meisje. 1963, Bandung.

Boven: Dewi, na de metamorfose is ze een Indonesische vrouw geworden. 1975, Bandung.

Huwelijksceremonie van Diman en Lativa, kleindochter van Lily,
oktober 1992, Jakarta. Het bruidspaar tijdens het omdoen van de ringen.
De bruidegom Diman draagt een oud-Javaans hoofddeksel en een fraai
bewerkte kris is aan de achterkant van zijn sarong gestoken. De bruid
Lativa draagt een kaïn, op haar geblankette gezicht zijn zwarte krullen
getekend, goudkleurige pennen met bloemen steken uit haar konde, een
kunstmatige haarwrong.

Het bruidspaar Diman en Lativa. Een olieverfportret (naar de trouwfoto uit 1992) Jakarta.

Boven: officiële trouwfoto, midden: bruidegom en bruid, Diman en Lativa, links: president Soeharto met zijn vrouw, rechts: vice-president Sudharmono met zijn vrouw, uiterst links: minister dr. ir. Hartarto Sastrosunarto en zijn vrouw, uiterst rechts: Lativa's pleegouders, Jakarta, oktober 1992. De elite van Jakarta was aanwezig bij het huwelijk.

Rechts: Guntur en zijn vrouw Inah met hun zoon Ariel tijdens een familiefeest, november 2004, Yogyakarta. Dit is de laatste, onscherpe, foto van het gezin. Guntur is in mei 2005 overleden. Een half jaar later is zijn vrouw Inah gestorven.

Warung voor het hoekhuis van Guntur op de Tanah Tinggi Timur, Senen, oktober 2005, Jakarta. Dit is de plek waar elke avond Indonesische militairen overlast veroorzaakten. De afgebeelde personen op deze foto spelen geen rol in het boek.

Haar dossier kwam maar niet boven water. Het duurde haar veel te lang. Ze had geen zin nog een keer heen en weer te rijden. Het immigratiekantoor is erg ver van haar huis verwijderd. Nu wilde ze het kordaat oplossen.

Aan de receptioniste vroeg ze: 'Waar is de baas?'

'In die kamer', zei de jonge vrouw en ze wees naar een gesloten deur.

Ze klopte op de deur en ging naar binnen.

'Wie bent u?' vroeg een man geïrriteerd.

'Neem me niet kwalijk dat ik u stoor,' zei Lily vleiend, 'maar ik wil graag een beetje hulp hebben. Mijn dossier wil maar niet tevoorschijn komen!'

De Indonesische bureauchef keurde haar geen blik waardig en bladerde door zijn papieren.

'Zo, zo een blanke Indonesische', grijnsde hij.

'Een vriend van mijn dochter, een zekere Santoso, werkt op het hoofdkantoor van de Immigratiedienst in Jakarta. Hij heeft gezegd dat ik hem bij problemen altijd kon bellen. Dat wil ik natuurlijk niet doen maar ik wil gewoon mijn paspoort hebben', merkte ze op.

De chef zei dat hij net nog met *beliau* had gesproken, waarmee hij een topambtenaar bedoelde.

Lily reageerde stoïcijns: 'Bel hem dan maar weer op.'

Hij belde hem opnieuw en gaf haar de telefoon.

Santoso zegt door de telefoon: 'Wat is er *ibu*?'

'Ik word moe, erg moe.'

'Waarom?', vroeg hij bezorgd.

'De map met mijn paspoort komt maar niet tevoorschijn.'

Santoso zegt dwingend: 'Geef mij dat afdelingshoofd even.'

Ze gaf de telefoon weer aan de bureauchef.

'Ja, pak, ja, pak', zei hij een paar keer gedienstig achter elkaar.

Meteen riep hij een assistent en binnen vijf minuten lag haar paspoort op tafel.

'Dit is een aspect van Indonesië dat ik moeilijk kan verdragen', zegt Lily. 'Dat constante wachten op niets.'

Theejonker van de Preanger

Lily en Amir logeerden in de jaren vijftig soms op de theeonderneming Gambung in de Preanger-hoogvlakte ten zuiden van Bandung. Deze koele locatie was vrij van muskieten en aangenaam om te verblijven. We willen opnieuw deze uitgestrekte theeplantage en het lieflijke meer van Cileunca (Tjileuntja) bezoeken, een confrontatie met het arcadische landschap en een terugkeer naar haar verleden. De volgende ochtend wacht een schoongepoetste, nieuwe, lichtgrijze Kijang met chauffeur voor de villa.

Het kost veel tijd en moeite om door de verkeerschaos de stad uit te komen. Bij een stoplicht kopen we van een zichtbaar opgetogen straatjongen een gekleurde kaart van Bandung en omgeving. Eenmaal op de tolweg naar Banjaran begint de chauffeur heel hard te rijden.

Het landschap schiet voorbij. 'We hebben geen haast', zegt Lily. De licht nerveuze bestuurder zucht en mindert vaart.

In Banjaran rijden we langzaam over een smalle, drukke weg met grote gaten in het plaveisel. Een zwarte haan fladdert voor de auto langs. Een slecht voorteken?

Een jongen uit de kampong met een fluitje in zijn mond regelt het verkeer op een kruispunt.

We passeren een oude baileybrug over de smerige en traag stromende Cisangkuy-rivier. De weg stijgt behoorlijk, we gaan nu in de richting van de hoogvlakte van Pengalengan. In mijn rugzak heb ik een oude reisgids *Come to Java* uit 1922/1923, een uitgave van het toeristenbureau te Weltevreden. Dit boekje gaat over het afgelegen romantische Java met zijn kampongs, rijstvelden, bergen en vulkanen. De zwart-witafbeeldingen wekken heimwee op naar het betoverend mooie Javaanse platteland. Pengalengan, ooit een klein pittoresk dorp, is veranderd in een propvolle lelijke provincieplaats. Overal langs de weg staan kraampjes. Er hangt een kruidige geur van tropisch fruit. Het afval ligt in de modderige goot. Straatventers wachten landerig in de schaduw. *Becak*-rijders doen met opgevouwen knieën een dutje in hun fietstaxi. Volle, gedeukte busjes versperren de doorgaande weg. Vanuit Pengalengan rijden we verder de bergen in. In verval geraakte, verveloze oud-Indische woonhuizen met voorerf staan her en der op de hoogvlakte. Tussen de overvloedige vegetatie is elke bruikbare plek bebouwd. Op de behoorlijk steile berghellingen liggen verspreid kleine akkertjes. De weg kronkelt verder omhoog. Bij een kruising nemen we de afslag naar het meer van Cileunca. Het landschap met de paarsblauwe bergen in de verte is van een adembenemende schoonheid. We stoppen bij een hefboom die toegang verschaft tot een toeristische locatie aan de oevers van het meer. Het toiletgebouw is smerig. Het restaurant is dicht. Overal staan krotten en ligt rondslingerend huisafval. Onverzorgde mannen en jongens, er is geen vrouw te zien, kijken ons verwonderd aan. Speelse hondjes hangen aan mijn broekspijpen. Bij de oever van het verstilde, spiegelgladde meer liggen bootjes half onder water. Watersport is hier voorlopig niet mogelijk. Toeristen blijven weg.

'Een tropische idylle in verval', zegt Lily gelaten.

We vervolgen onze tocht en rijden naar de theeonderneming Gambung die op zo'n vijftienhonderd meter hoogte in de bergen van de Preanger is gelegen. Eerst worden we begroet door Iban, de beveiligingsman van het bedrijf Satpam, een afgetrainde oud-militair.

Hij is helemaal in het donkerblauw gekleed en draagt altijd een donkerblauwe wollen muts. Hij is ongewapend maar expert in vechtsporten. 's Nachts rijdt hij alleen op zijn bromfiets over de deels ongeplaveide wegen van de uitgestrekte theeonderneming met verschillende kampongs. Iedereen heeft respect voor hem.

Daarna ontmoeten we Asep in zijn olijfkleurige kreukloze tropenpak. Hij is de manager van de *wisma*. We nemen ons intrek in het lege *guesthouse* met een paar kamers. In de betegelde open haard liggen nog halfverbrande stukken hout. 's Avonds wordt een houtvuur gestookt, want het kan op deze hoogte behoorlijk koud zijn. Het ruikt een beetje muf in de slaapkamer. De laatste tijd hebben er geen gasten meer gelogeerd. Het is een gedenkwaardige plek met uitzicht op de onafzienbare smaragdgroene theevelden van Gambung en de dichtbegroeide bergen van de drietoppige Gunung Tilu. Op deze locatie begon Rudolf Kerkhoven in 1874 als een hardwerkende pionier met de ontginning van het oerwoud en de aanleg van de plantages. De bodemgesteldheid bleek bij uitstek geschikt voor het planten van thee. Zijn zorgzame vrouw Jenny kreeg vier zonen en een dochter. Hun leven werd gekenmerkt door hard werken, tegenslagen en isolement. Jenny miste haar Hollandse contacten, het stadsleven en de gezelligheid. Ze was weliswaar geboren in de kolonie maar voelde voortdurend een zeker onbehagen door het mysterieuze oerwoud dat hen omringde en de ondoorgrondelijke lokale bevolking. Ze was vaak ziek, kreeg hysterische aanvallen en werd depressief. Ten slotte vergiftigde ze zichzelf. Officieel werd gesproken van een hartverlamming door de spanning. Ze stierf in 1907. Tegen haar wens werd ze begraven aan de rand van het dreigende oerbos. Uiteindelijk maakte Rudolf Kerkhoven fortuin en liet de succesvolle thee- en kinaplantages van Gambung over aan zijn zoon Emile. Hij trok zich terug in Bandung, waar hij in 1918 overleed. Rudolf werd begraven naast Jenny achter hun huis onder de stammen van de reusachtige rasamala's.

De eerste avond zitten we in het donker op het koele terras. In de verte zijn de vage contouren van de omringende bergen zichtbaar. Het is nieuwe maan met een schitterende sterrenhemel. Zelfs de Melkweg is duidelijk waarneembaar. We hebben het licht uitgedaan vanwege de grote bruine kevers die ertegenaan vliegen. Ze ploffen met een harde klap op de marmeren vloer, blijven ongemakkelijk op hun schild liggen en zijn niet meer in staat om zich om te draaien. Opeens verschijnt vanuit de duisternis een Indonesische man op blote voeten en komt naast mijn stoel staan. Hij fluistert in perfect Engels: 'Do you like to see the graves?' Ik kijk hem verbaasd aan. De man heeft een diepgegroefd donkerbruin gezicht en draagt donkere, sjofele kleren. Ik zeg snel: 'Maybe tomorrow?' De man knikt bedachtzaam en verdwijnt zonder een woord te zeggen. We hebben hem nooit meer teruggezien.

De volgende ochtend bezoeken we met een andere, lokale gids, die slecht Engels spreekt, de theefabriek van Gambung. Er staan rijen ouderwetse, robuuste machines voor het drogen, rollen of kneuzen en fermenteren van de theeblaadjes. Daarna lopen we naar het huidige kantoor van de theeonderneming dat zich exact op de plek van de oude administrateurswoning van de Kerkhovens bevindt. De zorgvuldig aangelegde tuin met verspreid staande grote bomen is nooit veranderd. Een paar honderd meter verderop aan de rand van de jungle liggen de nogal verwaarloosde graven van Rudolf en Jenny Kerkhoven.

De naambordjes zijn nog leesbaar. Er is nog een derde, kleiner graf dat waarschijnlijk van hun te vroeg gestorven dochter is. Zonder naambordje. De tropische begroeiing rukt op.

's Middag bekijken Lily en ik de oude familiefoto's van de Kerkhovens. Op een zwart-witafdruk uit 1892 is Rudolf Kerkhoven met lange baard en in wit katoenen tropenpak met zijn vier jonge zoons bij de rivierbedding van de Tjisondari, de natuurlijke grens van de theeplantage, vastgelegd. Op een andere foto bijna van tien jaar later staat hij met zijn zoon Emile bij een houten bruggetje over deze snelstromende rivier.

Tegen het eind van de middag besluit ik om een wandeling te maken langs de dichtbegroeide steile oevers van de rivier Tjisondari. Als ik in de richting van de *kali* loop, zie ik vijftig meter verderop, in een iets hoger gelegen theeveld, een blonde vrouw met opgestoken haar en een auberginekleurig fluweelachtig jasje lopen. Ik zie haar slechts van achteren. Ze loopt voor mij uit door de theevelden en ik vermoed dat zij een toerist is. Als ik dit aan Asep vertel, fronst hij zijn voorhoofd en zegt: 'De laatste tijd zijn er helemaal geen toeristen op deze verlaten plek geweest.' Blijkbaar zijn we de eerste gasten sinds maanden. Vervolgens vertelt Asep over een Duits paar dat een halfjaar geleden in de theetuinen met de onafzienbare rijen keurig gesnoeide struiken een baardige man in ouderwetse witte kleding met bretels en een vrouw met opgestoken blond haar heeft gezien. Ze liepen langzaam over het uitgesleten pad naar het stel toe en het leek of ze hen iets wilden vragen. Plotsklaps waren ze verdwenen. Pas later herkenden de Duitsers deze mensen op de oude zwart-witafdrukken uit het fotoalbum van de familie Kerkhoven: het waren Rudolf en Jenny Kerkhoven. Asep kijkt wat ongerust en zegt: 'Blijkbaar hebben de geesten behoefte aan gezelschap, maar komen ze alleen terug als er Europese bezoekers zijn.'

De engel van Kebayoran

Het is najaar 2003. Het gedreun van de airco maakt me wakker. Een jong knap echtpaar in authentieke Javaanse kleding kijkt me vriendelijk aan. Het is een goed geslaagd, geschilderd portret in olieverf, dat aan de muur van mijn logeerkamer hangt. Een bekende Indonesische schilder heeft de officiële trouwfoto van de bewoners van de villa op groot formaat nageschilderd.

Ik ben in het huis van de zeer welgestelde Lativa, de dochter van Dewi en kleindochter van Lily. Momenteel verblijft ze met haar echtgenoot in Amerika. Het lijken mij aardige mensen. Ruim tien jaar geleden zaten ze bij toeval naast elkaar in een vliegtuig van Garuda Airlines tijdens de korte vlucht van Bandung naar Jakarta. Ze keken elkaar aan en de vonk sloeg over; ze raakten hevig verliefd.

Traag stap ik uit het comfortabele tweepersoonsbed. Mijn witte overhemd ligt gestreken klaar, de zomerpantalon is keurig geperst en de schoenen zijn glimmend gepoetst. Het is al laat in de ochtend. In de eetsalon worden op de langwerpige tafel schotels met rijst en vleesgerechten klaargezet. Een *pembantu* loopt op blote voeten, de tenen wijd uiteen, geluidloos over de gladde marmeren vloer. Hij vraagt wat ik wil drinken.

'*Kopi tubruk*', zeg ik nog slaperig.

Even later komt hij terug met een glas dampende mierzoete koffie. Een geschilderd portret van een oude fluitspelende Indonesische man met snor en hoofddoek hangt in de hoek van de salon. Er valt een vreemd licht op dit schilderij. Het gerimpelde vaalbruine gezicht van de bejaarde man licht op. Voortdurend blaast de airco koude lucht in het rond. *The Jakarta Post* opent met een kleurenfoto van woedende Indonesische jongeren bij hun ontruimde woningen in West-Jakarta; bij ontruimingen is grondspeculatie vaak de achterliggende oorzaak. Gisteravond bracht een actualiteitenprogramma al beelden van de genadeloze schoonmaakactie van de illegaal gebouwde kamponghuizen in Jakarta. Bewoners betalen huur voor de huizen aan eigenaars, die de bouwvallen of de grond soms niet eens bezitten. Deze overvolle krottenwijken moeten van de overheid worden gesloopt. Knokploegen krijgen de opdracht om de bebouwing af te breken of in brand te steken. Wanhopige gezinnen vluchten met hun matras en dekens onder de arm op zoek naar een nieuwe behuizing voor de komende regentijd. In het televisiejournaal is regelmatig het harde politieoptreden tegen deze kampongbewoners te zien. Haveloos geklede mannen die slechts zijn bewapend met stokken en staven gaan de honderden volledig in gevechtstenue uitgeruste politiemannen te lijf. Hysterisch schreeuwende vrouwen vallen flauw. Er vloeit bloed. Gewonden worden afgevoerd. Na de strijd worden de krotwoningen door de bulldozers van de gemeente platgewalst. Projectontwikkelaars kunnen hun postmoderne kantoorkolossen realiseren.

In de lommerrijke villawijk Kebayoran in Zuid-Jakarta staan nog veel statige bomen met dikke takken en een groen bladerdak. De witgepleisterde voorgevel van de riante villa met twee verdiepingen wordt gedomineerd door grote neoclassicistische zuilen. Bij de ingang staat een wit stenen gebouwtje waar dag en nacht bewakers in blauwe uniformjasjes huizen. Het grote ijzeren toegangshek wordt achter iedere bezoeker automatisch gesloten. Op de begane grond bevindt zich de grote woonkamer met hoge dubbele ramen die zijn voorzien van een zon- en warmtewerende laag. Toch dringt ook hier soms verkeerslawaai naar binnen. Enorme glazen schuifdeuren geven toegang tot de tuin met een rimpelloos zwembad dat is omzoomd door een geplaveid terras. Het interieur bestaat uit salonstoelen, een sofa en meubelen in neo-empirestijl. Op de vloer van witmarmeren platen liggen Perzische tapijten met ingewikkelde patronen. Een metershoge mahoniehouten kast met glazen deuren bevat een collectie porseleinen vazen, Chinees aardewerk en Delfts Blauw. Op een langwerpig dressoir staan ingelijste familieportretten. Er hangen grote schilderijen met idyllische taferelen in goudkleurige lijsten. Een schilderij toont een kampong overschaduwd door bomen en bamboebosjes en een man met een zwiepende *pikolan* die blootsvoets over een kronkelig pad loopt. Een ander schilderstuk stelt een tropisch landschap voor met een rivier waarin gehoofddoekte vrouwen hun kinderen baden. Op de achtergrond is een deel van een moskee en een bijgebouw met open balustrade geschilderd. Deze traditionele voorstellingen van het eenvoudige leven op het Javaanse platteland contrasteren met de luxueuze inrichting.

In oktober 1992 zijn Diman en Lativa, de jonge bezitters van deze villa, gehuwd. Hun exclusieve bruiloft werd gevierd in een groot hotel in Jakarta. Wel duizend gasten stonden onder de indrukwekkende kristallen kroonluchters. Boven de deuren en vensters waren ontelbare verse, witte cambodjabloemen bevestigd. Overal hingen lange slingers met geurende jasmijn.

Dimans vader dr. Hartarto Sastrosunarto, een in Australië opgeleide scheikundige, was minister van Industrie en Handel vanaf 1983 tot Soeharto's val in 1998. Hij was een van zijn naaste topadviseurs. Op de officiële trouwfoto, een groot formaat kleurenprint, staat links naast het jonge echtpaar president Soeharto met zijn echtgenote en rechts de vicepresident Sudharmono en zijn vrouw. Zij waren als getuigen bij de voltrekking van het huwelijk aanwezig. Naast de prominente leiders staan de ouders van de bruid en bruidegom. Op deze kleurenfoto kijkt iedereen heel plechtstatig. Soeharto en vicepresident Sudharmono, oud-voorzitter van de regeringspartij Golkar, staan stijf in het donkere pak met wit overhemd en rode stropdas. De anderen dragen traditionele Javaanse kledij. De bruid, bruidegom en hun ouders zijn gehuld in gebatikte *kaïns*, fijn bewerkte stoffen met klassieke motieven, die zijn voorbehouden aan families van hoge geboorte. De mannen dragen een zorgvuldig gevouwen, elegante lichtbruine hoofddoek. Op het voorhoofd van Diman glinstert een witgouden sieraad om het boze oog af te leiden. Uit Lativa's haarwrong steken goudkleurige pennen die een kroontje vormen. Het lijkt wel een huwelijksfoto van de oude Javaanse aristocratie. Een belangrijk deel van het politieke establishment was dan ook present bij dit societyhuwelijk. Het betekent dat dit jonge paar deel uitmaakt van de hoogste kringen binnen de Indonesische samenleving. Ze behoren tot de elite van Jakarta. Zelfs in het post-Soehartotijdperk hebben de geprivilegieerden hun geld, macht en status kunnen behouden.

In de jaren tachtig en begin jaren negentig floreerde de economie in de Indonesische archipel. De welvaart steeg vooral onder de hogere middenklasse in de steden. Indonesië werd de 'Aziatische Tijger' genoemd. In 1995 verkreeg minister Hartarto een eredoctoraat aan de Erasmus Universiteit. Zijn Mandeville-lezing, *Indonesia, a Model For Synergy With Europe*, die hij in Rotterdam uitsprak, ging over de successtory van de Indonesische economie. Het pragmatische liberale economische beleid had geresulteerd in een toenemende groei, verbetering van het onderwijs en de vermindering van de armoede. Twee jaar later, in 1997, ging het helemaal mis. Azië kreeg te maken met een financiële crisis en de Indonesische economie klapte in elkaar. De bevolking kwam in opstand. De woede richtte zich tegen het corrupte en ondemocratische Soehartoregime. Vooral de Soehartofamilie en cronies hadden zich ongelooflijk verrijkt. Zelfverrijking was heel gangbaar in de kringen rond de president. Hartarto werd in mei 1998 niet meegesleurd in Soeharto's val. Hij was volgens de *Wall Street Journal* een bureaucratische *survivor*. Sterker nog, in het post-Soehartotijdperk werd hij opnieuw benoemd tot minister van Staatshervorming in de overgangsregering onder president Habibie.

Nu lag het accent op het stimuleren van de democratie, mensenrechten, de vrije pers en een transparant bestuur. Er werd een onderzoekscommissie naar corruptie en nepotisme ingesteld. Grootschalige corruptiezaken bij staatsbedrijven en ministeries werden openbaar gemaakt. Zo onthulde deze bewindsman in september 1998 dat onderzoekers bewijzen hadden gevonden van corruptie bij het staatsoliebedrijf Pertamina. Dit bedrijf had inmiddels de contracten met tussenpersonen, die werden gecontroleerd door de familie van Soeharto, beëindigd.

Tijdens Hartarto's ambtsuitoefening was zijn familiefortuin ook toegenomen. Maar zijn zakenaandeel verbleekte bij dat van de Soehartoclan. Zijn eigen familie was actief in de Garama Group. Zijn zoon Diman, een ingenieur, had zijn opleiding aan het Technologisch Instituut te Bandung afgerond. Daarna volgde hij, zoals gebruikelijk bij de Indonesische elite, studies als management, economie en politieke wetenschappen aan gerenommeerde Amerikaanse universiteiten. Hij is nu directeur van een paar polychemische bedrijven, commissaris bij een groot mediabedrijf en vicepresident van een investeringsfonds op de Bermuda's. Met de auto is het vijftien minuten rijden vanaf zijn villa naar het moderne kantoorgebouw aan de Jalan Sudirman in het centrum van Jakarta. Thuis heeft hij tien bedienden plus drie chauffeurs en een aantal geüniformeerde bewakers. Diman en Lativa onderhouden ruim twintig familieleden die elke maand een enveloppe met geld ontvangen. Ook Lily, ze heeft geen pensioen opgebouwd, wordt financieel ruimhartig ondersteund. Toen ze steeds moeizamer ging lopen, kreeg ze direct een nieuwe auto. Haar kleinkind Lativa is de reddende engel van de familie geworden. Zij is een charmante upper-class-schoonheid met een melkachtige blanke teint. Zij is juriste en notaris, en moeder van een lichtgetinte tweeling. Deze kleine meisjes worden dag en nacht begeleid door *pengasuhs*, twee voor overdag en twee voor de nacht. Ze hebben een groot vertrek op de eerste verdieping, waar ook de kindermeisjes slapen.

Op de begane grond zitten ze meestal in stoeltjes op de lichte marmeren vloer naar het scherm van de breedbeeldtelevisie te kijken. De grappige tweelingzusjes zingen de liedjes van de Teletubbies hardop mee. Ze worden opgevoed door de jonge verzorgsters. Het koele water van het zwembad lonkt. Ik vraag of ze met de kinderen gaan zwemmen.

De slanke kinderoppas zegt: 'Nee, dat hebben ze nog niet geleerd.'

Routinematig maken ze elke dag na de maaltijd een uitstapje met de kinderen.

'Waar gaan jullie dan naartoe?', informeer ik nieuwsgierig.

'Oh, we toeren door Kemang en Kebayoran.'

Kemang en Kebayoran zijn groene buitenwijken van Jakarta en de stationwagon heeft airconditioning; de tweeling komt dus nooit in de smerige lauwwarme buitenlucht van de metropool. Elke dag rijden ze door hun eigen straat langs een kleine *warung*, een onooglijk houten hok vol met allerlei flesjes frisdrank, sigaretten en fruit. Er zit een zwangere vrouw in een licht vergeelde sarong op een mahoniehouten krukje. Ze kijkt gelaten en in gedachten verzonken voor zich uit. Naast haar op een kleine bank zit haar broodmagere man met een slapend kind in zijn armen. Ze zijn straatarm en slapen ook in deze benauwde warung.

Door het donkergetinte raam van de Kijang zal de tweeling worden geconfronteerd met de eenarmige vrouw die altijd op het drukke kruispunt staat. Ze bedelt met in haar hand een plastic schoteltje bij auto's die voor het verkeerslicht stilstaan. Een paar dagen geleden stond ze daar weer en werd ze plotseling door drie agenten beetgepakt. Ze pakten haar schoteltje af. De oudere vrouw protesteerde hevig en kreeg een harde klap voluit in haar gezicht. In de zakenwijken worden bedelaars niet langer getolereerd en met harde hand weggejaagd.

Het noodlot, *takdir,* sloeg toe. Er werd bij de veertigjarige Diman een ongeneeslijke hersentumor geconstateerd. Hij verwittigde *ibu* Lily over zijn dodelijke ziekte met de woorden: 'I'am in trouble.' Deze woorden bleven steeds opnieuw door haar hoofd circuleren. Ze was overweldigd door het slechte nieuws. Eerst verbleef Diman wekenlang in een ziekenhuis te Singapore. Daarna vertrok hij voor een intensieve behandeling naar een peperduur gerenommeerd hospitaal in het Amerikaanse Houston. Behalve zijn echtgenote betrokken ook zijn ouders daar tijdelijk een luxeappartement. In zijn villa te Jakarta baden elke vrijdag tientallen vrienden en kennissen voor zijn herstel. Alles werd in de livingroom aan de kant geschoven. De witmarmeren vloer werd vervolgens bedekt met mosgroene bidkleden waarop een afbeelding van de grote moskee in Mekka stond. Een islamitische voorganger van een nabijgelegen moskee kwam langs en er werd urenlang hardop gebeden en gezongen. Tot slot gingen de gasten gezamenlijk aan lange tafels eten en drinken.

Op een gegeven moment sloeg een nieuwe therapie goed aan en uit scans bleek dat zijn hersentumor langzaam kleiner werd. Uit dank voor deze goede berichten werd een zwarte karbouw ritueel geslacht. Daarna werd, zoals gebruikelijk, het vlees onder de armen verdeeld.

De villa wordt nu afwisselend bewoond door Lativa's moeder Dewi en haar halfzuster Maya. Zij regelen de dagelijkse gang van zaken in telefonisch overleg met Lativa in Houston. Het beminnelijke halfzusje Maya met haar ronde gezicht en amandelvormige ogen staat altijd voor me klaar, in tegenstelling tot Dewi.

Maya vertelde me over het mysterie van deze nieuwe villa. In de negentiende eeuw stond er een oud-Indisch woonhuis met een grote tuin op de plaats waar zich nu de sportstudio met trainingsapparaten bevindt. Daarachter is nog een kleine relaxruimte met rustbank waar zich twee geestverschijningen ophouden: een jonge Hollandse vrouw in een wapperende rode japon en een klein blond meisje. Deze gekwelde zielen dwalen al heel lang rond. In het verleden heeft op deze plek een moeder met haar kind zelfmoord gepleegd. 's Nachts speelt het meisje op de eerste verdieping van het grote huis. Je hoort haar soms touwtjespringen. Op een avond kamde Maya haar lange haren voor de spiegel. Plotseling zag ze een kleine blanke verschijning die uit het niets was gekomen. Maya probeerde contact te maken en vroeg in het Engels wat het meisje daar deed en wat er was gebeurd. Het meisje zei heel zacht iets in het Nederlands wat Maya niet kon verstaan. Na een tijdje was de geest verdwenen.

Er komen allerlei vreemde geluiden uit die relaxruimte. Gisteravond hoorde Maya daar serviesgoed op de grond vallen. Meteen liep ze naar die kamer. Haar schroom voor de inwonende *hantu's* heeft ze al overwonnen. Tot haar opluchting was er helemaal niets te zien.

'Inderdaad hangt het verdriet als een donkere wolk boven dit huis', zegt Maya, die juriste is. Deze rusteloze schimmen hebben de bedienden de stuipen op het lijf gejaagd, zodat ze zelfs de sportstudio niet meer durven te betreden of schoon te maken.

Een paar jaar geleden heeft Lativa bij een *selamatan* een afgehakte kop van een buffel aangeboden aan de ronddolende geesten. Waarschijnlijk zijn ze daar niet blij mee geweest.

'Het had een hele buffel moeten zijn', verklaart Maya. 'Mijn ouderlijk huis werd eveneens door demonen geteisterd,' zegt ze mistroostig.

In een leegstaand bijgebouw had soms een bleke gedaante met haar tot op zijn schouders met veel kabaal heen en weer gelopen. Volgens haar vader was dat de geest van een oude koloniaal. Zijn waanzinnige geschreeuw was blijven hangen achter de gesloten luiken. 'Hé witmans, donder op', riep haar vader soms spottend.

Ground Zero

Het is vrijdagavond en ik ben alleen in de grote villa in Jakarta. Lekker onderuitgezakt in de zachte bank kijk ik naar de omvangrijke breedbeeldtelevisie. De glimlachende *pembantu* brengt een glas vruchtensap en dampende koffie. Op het ANTV-journaal wordt de terugkeer van het stoffelijke overschot van de Indonesische Jemaah Islamiyah-terrorist Fathur Rahman Al-Ghozi ofwel de 'Manilabomber' uitvoerig in beeld gebracht. Eind december 2000 was hij betrokken bij een reeks bomaanslagen in het centrum van de hoofdstad Manila. Nog niet zo lang geleden ontsnapte hij uit een Filippijnse gevangenis maar hij werd later op de vlucht doodgeschoten. Bij het vliegveld van Surakarta staan groepen militante moslims hun gesneuvelde held, die als een martelaar wordt vereerd, op te wachten. De kist met de dode terrorist wordt naar de kampong van zijn ouders in Madiun op Oost-Java overgebracht. Daar heeft zich een grote menigte bij de ouderlijke woning verzameld. Op het televisiejournaal beschuldigen zijn aanhangers de Filippijnse autoriteiten van moord en tonen zijn hemd met kogelgaten. Hij zou in de rug zijn geschoten en er wordt een nieuw autopsieonderzoek geëist. Hun eis wordt ingewilligd, maar Indonesische artsen stellen later vast dat zijn lichaam zo is toegetakeld dat het onmogelijk is om alsnog een juiste autopsie uit te voeren. Dagenlang beheerst de dode Al-Ghozi de Indonesische media.

Enkele weken eerder, begin oktober 2003, was ik bij de eenjarige herdenking van de bomaanslag op het eiland Bali. De populaire disco's, de Sari Club en Paddy's Pub in Kuta werden op een drukke zaterdagavond van de aardbodem weggevaagd door autobommen. Indonesië kon niet langer ontkennen dat het terrorisme binnen zijn landsgrenzen bestond. Ruim tweehonderd jongeren vonden de dood en driehonderd anderen raakten gewond. De meeste slachtoffers waren buitenlandse vakantiegangers. Heel calculerend sloeg het terreurnetwerk Jemaah Islamiyah (Islamitische Gemeenschap), de lokale tak van Al-Qaida, toe op het hindoeïstische Bali, waar de islam amper wortel heeft geschoten. De bomaanslag had het vreedzame eiland in een shocktoestand gebracht en de toeristenindustrie was volkomen ingestort. De hotelbewaker van de Kuta Beach Club, een omvangrijk hotelcomplex is somber over de toekomst.

'Na de desastreuze bomaanslag kwamen er geen toeristen meer. Soms zijn er maar tien kamers bezet', zucht hij zwaarmoedig. 'Fundamentalistische moslims willen een islamitische staat. Dat is slecht voor het hindoeïstische Bali. Ze houden zich niet aan de Pancasila. Volgens deze Indonesische staatsfilosofie moeten alle etnische en religieuze groeperingen in één land kunnen samenleven', zegt hij gelaten.

Hij denkt erover om terug te gaan naar zijn kampong waar alles goedkoper is. Hoewel hij land noch koeien bezit, zou hij als landarbeider kunnen gaan werken. Zijn salaris als beveiligingsman is achthonderdduizend *rupiah* (ongeveer tachtig euro) per maand.

Het hotelpersoneel heeft een zelfde inkomen en het loon stijgt niet, maar de prijzen wel.

Het schoolgeld en de uniformen van zijn vier kinderen kosten hem veel geld. Elke dag moet hij veertig kilometer met zijn bromfiets van zijn kampong naar de kustplaats rijden. Soms heeft hij weinig energie over. De zachtmoedige jongeman gaat verder met zijn ronde door het hotel. Het is volle maan. In de tuin staan grote palmen en tropische planten. Zwaluwen vliegen onrustig heen en weer en krekels sjirpen. Er hangt nog steeds een klamme hitte. Plotseling wordt de paradijselijke stilte verstoord door het harde wentelwiekgeluid van een laagovervliegende militaire helikopter.

Het is de avond vóór de grote herdenking. In het uitgaanscentrum is Paddy's Pub aan de Jalan Legian herbouwd en onlangs weer heropend. Binnen is het rustig, alleen aan de grote ronde bar zitten wat blanke jongelui. Obers in hemelsblauwe jasjes afgezet met rode biezen lopen rond. Er hangt een onwerkelijke sfeer. Grote televisieschermen tonen, speciaal voor de Aussies, videobanden van honkbalwedstrijden. Boven de bar hangen een grote Amerikaanse en een Britse vlag. Op de dansvloer zijn nog geen mensen te zien. Een blanke vrouw met blond krullend haar en een geraffineerde felrode jurk draait zich om en vraagt met zachte stem of er een nooduitgang is. In de oude Paddy's Pub was geen achteruitgang waardoor er veel slachtoffers zijn gevallen.

'Nee, een oplichtend bordje met Exit heb ik niet gezien.'

'Ben je niet bang om hier iets te drinken?', vraag ik.

'Ik laat angst niet mijn leven bepalen, zelfs als ik doodsbang ben. Terroristen kunnen overal toeslaan. Er zal nooit een aanslag op dezelfde plek plaatsvinden', reageert ze beslist.

Vorig jaar was ze zelf toerist in Kuta Beach. Ze heeft de explosies gehoord en de chaos gezien.

'Het was vreselijk. Een onvoorstelbare hoeveelheid dode en gewonde jonge mensen. In Paddy's Pub bier drinken is de beste manier om van je pijn te genezen', zegt ze berustend.

Enige tijd later neem ik een taxi naar de strandboulevard. Bij Aneka Beach zitten tientallen Balinezen – er is geen toerist te bekennen – op het zandstrand ingetogen te bidden en te zingen. Ze zijn gegroepeerd rondom een grote metalen standaard met brandende kaarsen. Het is een door de maan verlichte nacht. De wilde branding van de Indische Oceaan is hoorbaar dichtbij. Het schuim van de golven licht op. Indonesische militairen met wapens in de hand houden toezicht bij deze kleine bijeenkomst. Op de achtergrond is de strandboulevard met de kille neonreclames van hotels, bars en winkels zichtbaar. De felgele enorme M van de Amerikaanse hamburgerketen torent overal bovenuit. Soldaten in lichtgekleurde camouflagepakken rijden op snelle motoren voorbij. Aan dezelfde boulevard bevindt zich in het comfortabele hotelcomplex het Hard Rock Café. Bij de ingang staat een metaaldetector en beveiligingspersoneel controleert de tassen. Je moet de toegang en een consumptie betalen bij een loket waarop de leuze staat 'Love all serve all'. In de grote donkere club met een podium tegen de achterwand hangen enorme posters van popmusici aan hoge wanden. Er zijn reusachtige beeldschermen opgehangen. Het publiek bestaat vooral uit rijke Chinese jongeren, jonge Balinese vrouwen en slechts een paar oudere westerse toeristen. Harde discomuziek schalt door de ruimte.

Het is vandaag 12 oktober 2003, de dag van de herdenking. Er staat al een grote menigte bij het stenen monument met een grote, donkere, marmeren plaat waarop in gouden letters de namen van de slachtoffers zijn gebeiteld. Het is zeer warm. Er worden flesjes water uitgedeeld. Tegen twaalf uur arriveert met grote snelheid een aantal geblindeerde en gepantserde SUV's. De Australische premier John Howard stapt omringd door zwijgende veiligheidsmannen uit een auto en legt een krans bij het gedenkteken. Tijdens de stille ceremonie heft een blanke Australische vrouw haar vuist omhoog en slaakt een ijzingwekkende kreet: 'You killed my son!'

's Avonds bevinden zich bij Ground Zero duizenden Balinezen en buitenlanders, familie en vrienden van de slachtoffers, met een brandende kaars in hun hand. Ze luisteren in stilte naar de soms emotionele toespraken. Overal zitten jonge Balinese mannen met T-shirts waarop Pemuda Desa staat; ze behoren tot de burgerwacht die na de bomaanslag weer is opgericht. Een Balinese dichter treedt op. Zijn schrille stem klinkt angstaanjagend. Het is nog steeds volle maan. Witte duiven worden losgelaten. Een vredessymbool. Enkele duiven zijn nogal traag en weten niet waarheen ze moeten vliegen. Mensen klappen. Het is één uur 's nachts. Over de slecht geplaveide en schaars verlichte Jalan Legian loop ik terug naar het hotel. Het is stil. Af en toe toetert er een taxi die mij mee wil nemen. Er is niemand meer op straat.

In de villa in Jakarta vraagt de pembantu of ik nog iets wil drinken. Ik zap langs de zenders op zoek naar een ontspannend televisieprogramma. Op de Indonesische zender ANTV wordt de Miss Indonesiaverkiezing gepresenteerd. Lichtgetinte kandidaten spreken Engels met een apart Amerikaans accent. Duidelijk is dat ze in het buitenland hebben gestudeerd. De presentatrice vraagt terloops aan een jonge Indonesische schoonheid: 'Doe je ook aan seks voor het huwelijk?'

'Nee,' zegt ze gedecideerd. 'Pas als ik ben getrouwd.'

De Indonesische zedenmeesters kijken instemmend toe.

De volgende ochtend rijdt de weinig spraakzame chauffeur Darno me met de splinternieuwe lichtgrijze Toyota Kijang naar de grote overdekte *shoppingmall* Plaza Senayan in het hart van Jakarta's zakendistrict. Hier is voldoende vertier onder één dak: naast winkels zijn er bioscopen, restaurants en cafés. Imposante roltrappen, marmeren vloeren en grote glazen ramen. Buiten is het zinderend heet maar in het winkelcentrum met airco is het altijd lente.

Bij de ingang naar het grote parkeerterrein is een controlepost waar potige mannen in militaire uniformen de wacht houden. Alle stationwagons en jeeps worden door beveiligingspersoneel op springstoffen gecontroleerd: de onderkant van de auto wordt bekeken met een ronde spiegel die aan een lange staaf is bevestigd. De kofferbak wordt doorzocht. Men is bang voor autobommen.

De krachtige bom die twee maanden eerder, in augustus 2003, explodeerde bij het vijfsterren Marriott Hotel in Jakarta, zat verstopt in een nieuwe Toyota Kijang. De explosie sloeg een krater van acht meter doorsnee voor de hotelingang. De voorpui van het hotel werd zwaar beschadigd. De lobby en een groot deel van het drukke restaurant, een geliefde lunchplek voor zakenlieden en diplomaten, werden verwoest. Er waren zeker twaalf doden, onder wie een Nederlandse bankdirecteur, en meer dan honderdtwintig gewonden, onder wie veel buitenlanders. Deze zelfmoordaanslag werd opgeëist door de militante Jemaah Islamiyah.

Darno zet me af bij de Mary Gold Gate. Voor deze ingang met open terras van een koffieshop zit een beveiligingsbeambte in een wit fantasie-uniform achter een klein bureau. Hij werpt achteloos een blik in de tassen van de naar binnen lopende mensen. In het luxueuze winkelcentrum slenteren welvarende, goed doorvoede Indonesische families met volle plastic boodschappentassen. Via luidsprekers wordt zachte loungemuziek over het winkelpubliek uitgestrooid.

Op de tweede verdieping bevindt zich The Book Store QB met een goede selectie boeken en internationale tijdschriften. *Times* en *Newsweek* hebben uitgebreide artikelen over de herdenking van de aanslag op de disco's in Kuta Beach geplaatst. Het boek *A house in Bali* van Colin McPhee, de Canadees-Amerikaanse componist die in de jaren dertig van de vorige eeuw op Bali verbleef, heb ik alsnog aangeschaft. Hij schrijft over zijn passie en obsessie met gamelanmuziek en het eiland Bali. In een muziekwinkel hangt een poster van de beroemde Indonesische *dangdut*-zangeres Inul Daratista die vaak op de Indonesische televisie is te bewonderen. De kracht van de dangdut is de mix van traditionele met moderne westerse muziek. Er is een televisieprogramma waarin jonge Indonesische kinderen hun zangtalent kunnen tonen en daarin zag ik eens een tienjarig mollig meisje in een korte zwarte broek met een klein zilverkleurig topje een bekende tophit van Inul Daratista zingen. Ze maakte schokkende heupbewegingen. Een wulpse drildans. Het publiek was razend enthousiast.

Op dezelfde verdieping wordt in The Times Place de nieuwste collectie Cartierhorloges gepresenteerd. De jonge Indonesische elite bekijkt nonchalant de dure horloges die in prijs variëren van vijf tot twintig miljoen *rupiah*. Sommigen hebben een *handphone* tegen hun oor geklemd, anderen fotograferen elkaar met de nieuwste digitale camera's. Een meisje fotografeert het Cartierhorloge dat haar vriend om zijn pols heeft gedaan. Lekkere hapjes staan op tafel en er wordt zelfs koele witte wijn geschonken. Jonge welvarende types in modieuze outfits doen nogal opgewonden over deze nieuwe horloges.

Alle bekende fastfoodrestaurants zoals McDonald en Kentucky Fried Chicken bevinden zich in het winkelcentrum. Ze zijn ongekend populair. Op de parterre is een expositie van de nieuwste modellen Toyota Kijang-stationcars, die in Indonesië worden geassembleerd. Slanke dames in ultrakorte rokjes staan bij de glimmende auto's. Uiteindelijk besluit ik om terug te gaan. Darno wacht op me bij Mary Gold Gate. Een beveiligingsman controleert wederom de tassen van het winkelende publiek. Hij moet menselijke fragmentatiebommen tegenhouden. Een zwaar gesluierde vrouw met een grote rugzak komt aangelopen, maar hij kijkt er zelfs niet naar. De lichtgrijze Kijang stopt voor me. Snel stap ik in. De shoppingmall is een wereld op zichzelf.

Buiten wachten onontkoombaar de ondraaglijke hitte, de stinkende uitlaatgassen, de files, de armoede, de wanorde en de propvolle hoofdstad. In de Kijang-stationwagon heb je weinig te vrezen dankzij de centrale portiervergrendeling en de airco. Door de getinte ramen lijkt de buitenwereld onwerkelijk en ongevaarlijk. Zelfs de smerige buitenlucht wordt gefiltreerd.

Ik voel me geïsoleerd maar ook bevoorrecht. Eigenlijk wil ik slechts toeschouwer zijn en niet werkelijk met Jakarta worden geconfronteerd.

De regen is opgehouden. We rijden langs de oevers van de Ciliwung (Tjiliwoeng), een smerig open riool vol zware metalen en gevaarlijke stoffen, die voor een groot deel is versterkt met betonnen kaden. Ik ken zwart-witfoto's uit de jaren dertig van de vorige eeuw toen de rivier nog niet was gekanaliseerd: kampongkinderen spelen en zwemmen in het lauwe rivierwater. Een bamboevlot wordt gebruikt om kleren op te wassen. Opvallend is het landelijke karakter. Nu grenst de stedelijke bebouwing direct aan het water.

Vanuit mijn lichtgecoate ramen zie ik rommelige kamponghuizen en mensen die over het ongeplaveide trottoir lopen. Mijn oog wordt naar een aantrekkelijke jonge vrouw getrokken. De contouren van haar fraai gevormde lichaam zijn door het dunne katoenen jurkje goed waar te nemen. Ze beweegt zich gracieus. Ze kijkt me aan, tuit haar lippen en roept: 'Fucky, fucky, mister.'

's Avonds laat scheurt Maya met de hemelsblauwe Volkswagen Cabrio door de donkere straten van Jakarta. Soms schieten donkergroene *angkots* zonder richting aan te geven rakelings langs ons heen. Maya chauffeert me met grote snelheid door deze gigantische metropool. We rijden door stille stadswijken en over drukke boulevards naar het centrum. Maya ziet er goed uit. De laatste maanden past de werkloze juriste op de villa van Lativa en de zieke Diman die in Houston verblijven. Ze vindt Europa eigenlijk beter dan Indonesië.

'Een goede toekomst en ook een riant salaris', zegt ze opgewekt.

Over *ibu* Lily merkt ze op: 'Ze is te aardig, niet hard genoeg tegen mannen.'

En ze vervolgt: 'Soms is ze too soft, too Dutch.'

Uiteindelijk komen we aan bij de ondergrondse garage van het luxueuze Shangri-La Hotel. We parkeren de auto in de betonnen bunker aan de Jalan Sudirman. Met de lift komen we op de tweede verdieping waar zich de Bats Club bevindt. Er staan nors kijkende mannen van de beveiligingsdienst. We lopen door een metaaldetector. Het is druk en tamelijk donker. Een Filippijnse rockband speelt harde muziek. Onder de aanwezige Indonesische vrouwen zijn nogal wat prostituees. Aan de bar zitten zelfverzekerde blanken in witte overhemden. Ze drinken uit langwerpige smalle bierglazen. De zakenlieden en managers kijken rond of vermaken zich lachend met de aantrekkelijke dames. Op het podium dansen jonge meiden in minirokjes en strakke truitjes. Hun leeftijd is altijd moeilijk in te schatten. Een roodverbrande en behoorlijk dronken Brit, wiens overhemd doordrenkt is van het zweet, glijdt van zijn barkruk. Hij laat zijn bril vallen en begint nogal onbeholpen op de grond te zoeken. Een Indo-Chinese vrouw aan de bar lonkt uitdagend naar me. Ze komt naar me toe en ik ruik haar zoet geurende parfum en haarolie.

'How you doing!', zegt ze met een warme stem.

De charmante jonge vrouw vertelt dat ze hier af en toe komt. Ze studeert rechten. Met haar smalle hand raakt ze me zachtjes aan en vraagt of ik in het Shangri-La Hotel overnacht. Ze kijkt me indringend met haar opvallend donkere ogen aan. Ze flirt met me. Mijn vingers strijken even door haar lange gitzwarte haar. De ober serveert twee grote glazen bier. Door de dreunende muziek versta ik haar nauwelijks. Overal staan jonge vrouwen sexy te dansen en te lonken naar de drinkende blanke mannen.

Een oudere Engelsman in geruit overhemd met dikke buik zegt met een verwachtingsvolle blik: 'Dit is de beste club in Jakarta. Veel mooie vrouwen, vooral die Chinese vrouwen zijn zo genereus voor je. Ze geven je heel veel.'

Aan de bar ontmoet ik een stevig gebouwde Nederlandse bankemployé met een wat cynische oogopslag. Ik vraag hem wat hij vindt van de huidige situatie in Indonesië. 'De machtsverhoudingen zijn sinds het kolonialisme niet echt veranderd. Sterker nog, het postkoloniale gedrag van de nieuwe Indonesische elites getuigt van meer arrogantie dan de Nederlandse kolonisator hier ooit heeft getoond. Alleen de huidskleur van de heersende klasse is veranderd', voegt hij er aan toe. 'Als Nederlander word je soms aangesproken op de wandaden van die operazanger en *butcher* Westerling. Destijds zou hij met zijn commando's in Zuid-Celebes (Sulawesi) veertig- tot vijftigduizend mensen in koelen bloede hebben vermoord. Die aantallen kloppen van geen kant. Het zijn er hoogstens vier- tot vijfduizend geweest. Nog een behoorlijk aantal', bromt hij.

'Maar die Indonesiërs vermenigvuldigen alles met factor tien. Als je ze dan confronteert met die één miljoen doden die ze zelf gemaakt hebben tijdens de periode 1965/1966. Ik bedoel die fysieke uitschakeling van de communisten. In dat jaar hebben ze zelfs meer eigen mensen gedood dan de koloniale overheerser in meer dan drie eeuwen. En dan hoor je even niets meer', constateert hij met een grijns.

Hij drinkt in een teug zijn halfgevulde bierglas leeg.

Later raak ik in gesprek met een andere Nederlander, een zakenman met een onopvallend uiterlijk en kortgeknipt haar. Hij heeft drie kantoren in Yogyakarta, Bandung en Jakarta en vliegt regelmatig op en neer. Zijn woonhuis bevindt zich in Kuningan, de mondaine zaken-, hotel- en ambassadewijk van Jakarta.

'Dat is zeker het volgende doelwit van die moslimterroristen', concludeert hij.

In het weekend verblijft hij in zijn buitenhuis, een voormalige planterswoning in de heuvels, dat een mooi uitzicht heeft op de kust bij Pelabuan Ratu, de oude Wijnkoopsbaai. Het is vijf uur rijden met de stationwagon vanuit Jakarta naar de Javaanse zuidkust. Zijn kinderen studeren in Nederland. Hij woont en werkt al twintig jaar op Java maar begrijpt nog steeds weinig van de Indonesische mentaliteit.

'Wat ze nou echt denken, daar kom je nooit achter', zegt hij met een zucht.

Hij heeft met een aantal westerse vrienden de club Java Lava opgericht. Ze maken wandeltochten naar de talrijke vulkanen in het Javaanse binnenland. Hij traint zich fit op een sportschool omdat hij altijd in zijn stationwagon of op kantoor zit. Europeanen lopen of fietsen niet op de overvolle en levensgevaarlijke wegen van de Javaanse steden.

'Ik mag van mijn vrouw, die zich vaak in het buitenland bevindt, niet naar dit soort tricky clubs in Jakarta gaan', zegt hij met een veelbetekenende blik.

Maya en ik verlaten de nachtclub en rijden door het broeierige Jakarta met bijna surrealistische nachtbeelden. Langs de weg tippelen jonge prostituees, soms bijna nog kinderen. Ze brengt me naar de Star Deli Club in een uitgaanswijk van Zuid-Jakarta. Het is nog niet druk op deze zaterdagavond. We lopen via het restaurant door een dubbele deur naar een rechthoekige ruimte met een smalle bar waartegen half aangeschoten Britse expats leunen. Het geelachtige licht is schaars. Aan de wanden hangen filmposters en zwart-witfoto's van bekende Hollywoodsterren.

Jonge Indonesische animeermeisjes in korte blauwe rokjes met rode blouses lopen sensueel heen en weer. Een oudere blanke man speelt routineus biljart met een kleine Indonesische vrouw die mooie stevige billen heeft. Er staan tafeltjes met hoge krukken. Harde rockmuziek klinkt. We bestellen het koude Bintangbier. Het smaakt prima. Dit is een relaxte club.

Een jaar later zouden honderden islamisten, gewapend met bamboestokken, dit populaire café in Kemang bestormen. De verontwaardigde menigte schreeuwde 'Immoral, Immoral' en sloeg toen alles kort en klein. Drankflessen werden stukgeslagen en de Amerikaanse filmposters en foto's van de muren gerukt. Ze waren woedend omdat er tijdens de ramadan alcohol aan buitenlanders werd geschonken.

'We doen dit voor de toekomst van onze jeugd', benadrukte een woordvoerder van de gewelddadige groepering het Islamic Defenders Front of FPI. De alom aanwezige politie van Jakarta keek, zoals gebruikelijk, de andere kant op.

Een expat merkte laconiek op: 'Het is voortaan beter om in de ene hand een biertje te houden en in de andere een AK-47.'

Een boze generaal

Op een zaterdagochtend rijden Lily en ik met de Kijang-stationwagon al twee uur door de volgebouwde zuidelijke wijken van Jakarta. Onze trotse chauffeur wil zich niet laten kennen maar hij is volgens mij de weg kwijtgeraakt. Blijkbaar is zijn stratenkennis ontoereikend.

Hij wordt kwaad en scheurt vol gas weg. Even later zit het verkeer op een smalle asfaltweg muurvast. We staan langdurig in de smerige uitlaatgassen. Overal bevinden zich gammele woningen en *warungs* met af en toe postmoderne kantoorgebouwen. Vlak bij het plaatsje Depok stopt de Kijang voor een metalen toegangshek van de *estate* van generaal Yogi Soepardi. Hij is getrouwd met Freda, de jongste zuster van Lily's overleden man Raden Amir. Ze heeft een Javaans-Duitse moeder terwijl de moeder van Lily een volbloed Duitse was. Dat schept een band. Ze kunnen goed met elkaar opschieten

De oprijlaan leidt naar een imposante nieuwe villa met een rood pannendak en een veranda met hardhouten zitjes. Een goedverzorgde, bijna pastorale landschapstuin doemt voor ons op. Achter de villa bevinden zich bijgebouwen en een groot zwembad dat is omgeven door bloeiende bougainvillea's. Een lange stenen muur sluit het luidruchtige straatverkeer en de rommelige bebouwing buiten. Bij de grote houten deur staat de kleine generaalsvrouw. Ze heeft een Indisch uiterlijk en ze is gekleed in een lichtblauwe spijkerbroek en een loshangende blauw gebloemde blouse met korte mouwen. Haar zwarte haar valt keurig gekapt langs haar ronde gezicht.

Haar man komt wat later over de marmeren vloer aangelopen. De gepensioneerde Indonesische generaal draagt een lichtgekleurde broek en hemd, zijn blote voeten zijn in sandalen gestoken. Hij is een man zonder opsmuk. We gaan zitten in een vertrek waarvan de deuren en ramen openstaan. De plafondventilator draait gestaag en maakt een hypnotiserend geluid. De strak kijkende, kortgeknipte oud-militair met zijn gespierde armen neemt het fotoboek over de koloniale oorlog minzaam in ontvangst.

Soepardi merkt direct op: 'Westerlingen propageren democratie en mensenrechten als universele waarden. Ze denken dat in Azië dezelfde mensen wonen als in Europa. We leven hier in Indonesië. Onze democratie is anders dan de westerse democratie.'

De oud-generaal is nogal negatief gestemd over de Verenigde Naties. Zo vindt hij het vetorecht van de grote landen bij de Veiligheidsraad absurd. Over het huidige tijdsgewricht wil hij liever niet praten, dat zou de sfeer alleen maar bederven. De toon voor dit gesprek is gezet.

Soepardi vertelt over het begin van zijn militaire carrière. Hij is opgeleid door Indonesische officieren (oud-KMA'ers) in Yogyakarta en heeft deelgenomen aan de onafhankelijkheidsstrijd. Als jonge luitenant was hij betrokken bij de militaire overdracht van Yogyakarta in de zomer van 1949. De Nederlandse troepen moesten zich conform het Van Roijen-Roemakkoord uit deze stad terugtrekken. Er was een staakt-het-vuren afgekondigd, wat een belangrijke doorbraak in het Nederlands-Indonesische conflict was. De van huis uit christelijke Soepardi is voor rehabilitatie van de grote leider Soekarno, in zijn ogen een soort Mahatma Gandhi, die een voorbeeldfunctie heeft gehad voor de onafhankelijkheidsstrijd van Afrikaanse landen. Hij maakte zich hard voor een sterke positie van de zogenaamde ongebonden landen, zoals India, Egypte en Joegoslavië die zich niet met het kapitalistische noch communistische blok wilden engageren. Soekarno's filosofie van de Pancasila – alle etnische groepen en religies moeten kunnen samenleven in één land – is volgens hem niet alleen van belang voor Indonesië maar eigenlijk voor de hele wereld.

'De koloniale tijd is toch een treurige vergissing van de geschiedenis geweest. Die koloniale machthebbers heersten over een wereld die ze helemaal niet begrepen', zegt Soepardi.

'Natuurlijk was het een verfoeilijk systeem,' benadruk ik, 'maar de Javaanse adel had een groot belang bij het Cultuurstelsel en werkte mee aan het opzetten van monoculturen zoals de thee-, tabaks-, suikerriet- en rubberplantages. De inlandse bevolking werd ook eeuwenlang door de feodale Javaanse elite uitgebuit.'

Het gesprek wordt ongemerkt door zijn Indische vrouw overgenomen.

'Ze is een halfbloed. Haar voorouders zijn onfatsoenlijk geweest', grinnikt Soepardi.

Freda reageert niet op deze opmerking en vertelt onbewogen: 'Onze dochter is getrouwd met een zoon van Paku Buwono XII, de sultan van Surakarta (Solo, Midden-Java). De kleinkinderen zitten op de Australische school in Jakarta. Daar worden ze gepest en uitgescholden omdat ze van adel zijn. Ze komen vaak met blauwe plekken thuis. Nu volgen ze op een sportschool een cursus zelfverdediging.'

De legerofficier Soepardi was betrokken bij het neerslaan van de communistische revolte bij de stad Madiun op Oost-Java in september/ oktober 1948. Hij diende in de Siliwangi-divisie onder de bekende generaal Gatot Subroto en nam deel aan de uitschakeling van de opstandige communisten.

'Deze opstand was snel onderdrukt. De Moskougetrouwe communistenleider Muso werd omgebracht. De communisten kwamen al in de jaren vijftig weer sterk terug.'

Hij herhaalt de officiële lezing dat de communisten in 1965 met een coup de macht wilden overnemen. Ze wilden klassenstrijd en uitschakeling van de bourgeoisie. Kijk maar naar de Russische revolutie. 'Iedereen die het niet met hen eens was, zou worden uitgeschakeld. Zij hebben een zestal conservatieve generaals vermoord. Nasution ontsnapte aan de aanslag en Soeharto was op bezoek bij zijn zoon in het ziekenhuis. De communisten hadden een eigen scenario. Dipa Aidit, de leider van de PKI, de communistische partij van Indonesië, wilde de macht grijpen. Daar waren allerlei aanwijzingen voor. Soekarno dacht de communisten te kunnen bekeren met zijn Pancasila-doctrine waaronder sociale rechtvaardigheid voor het gehele Indonesische volk.

De communistische partij en haar mantelorganisaties werden steeds machtiger. Ze kregen steun uit de Volksrepubliek China van Mao. En ze beschikten over grote massa's mensen. Landloze boeren en arbeiders werden bewapend. Soeharto had geen andere keus, "het was erop of eronder"', betoogt hij.

Het gevolg was een uitbarsting van razernij tegen linkse en communistische Indonesiërs. Een massamoord die vrijwel uit de annalen van de Indonesische geschiedenis is verbannen.

Soepardi herhaalt: 'Als de communisten aan de macht waren gekomen, hadden zij ook hun tegenstanders uitgeschakeld.'

'Uit vrijgegeven documenten van het National Archives te Washington blijkt dat Amerika bezorgd was voor een "nieuw Vietnam" in Indonesië. De Verenigde Staten steunden de Indonesische generaals die onder leiding van Soeharto rigoureus met de communisten wilden afrekenen', merk ik op.

'Dat is allemaal onzin', gromt hij kortaf.

Ook had hij zich geërgerd aan de documentaire *Shadow Play: Indonesia's Year of Living Dangerously* (2002) van de Australische filmmaker Chris Hilton over de betrokkenheid van Amerika bij de massamoorden in 1965 in Indonesië. In de film komen Amerikaanse en Australische officials, inlichtingenofficieren en buitenlandse journalisten aan het woord die destijds in Jakarta werkten. Er wordt gepleit om de betrokkenen van de genocide alsnog voor het Internationaal Strafhof te Den Haag te dagen en te laten berechten.

Soepardi vindt het een suggestieve film met selectieve beeldmontage. In de film wordt de terugkeer van Carmel Budiardjo, een ex-politieke gevangene onder het Soehartoregime en mensenrechtenactiviste naar Indonesië getoond.

'Ik walg van die vreselijke vrouw Carmel', zegt hij snibbig. Tijdens de Soehartoperiode werd Soepardi als militair attaché in Tokio gestationeerd en later tot militaire commandant van Oost-Indonesië in Bali benoemd. Daar had hij een fantastische tijd. We zitten in een open tuinpaviljoen en op het terras wordt een heerlijke Indonesische maaltijd geserveerd. Het gesprek over 1965 stagneert. Nu trekt Soepardi de lijn van het kolonialisme door naar het neoliberalisme en de globalisering. Ook dat vindt hij uitbuiting. Hij is ertegen dat Indonesische staatsbedrijven zoals de telecommunicatie en energiecentrales worden verkwanseld. Dat vindt hij een slechte zaak. Hij wil sociale rechtvaardigheid zoals oud-president Soekarno stelde in zijn Pancasila.

De generaal zelf bewoont een landgoed dat met hoge hekken is afgeschermd van de Indonesische samenleving. Vlak achter zijn *estate* zijn armoedige bouwvallen, zwerfvuil en paupers waar te nemen. Zijn vrouw neemt het initiatief voor een rondleiding door de vertrekken van de villa. Overal staan sculpturen van het kostbare sandelhout. Er hangen 'Mooi Indië'-schilderijen en werken van de beroemde Indonesisch-Chinese schilder Lee Man Fong. In de enorme landschapstuin bevindt zich een grote visvijver en verderop staat een aparte woning waar Freda in alle rust kan schilderen, één van haar hobby's. Na afloop van deze korte excursie nemen we afscheid. Voordat we vertrekken, maak ik snel nog foto's van de generaal en zijn vrouw voor hun villa. Soepardi kijkt me met zijn donkere ogen ondoorgrondelijk aan. Het is duidelijk dat hij geïrriteerd is.

Twee dagen later belde hij Lily op. Hij voelde zich beledigd. Op veel foto's in het boek *Agressi II* over de tweede militaire actie in december 1948 worden volgens hem de Indonesische vrijheidsstrijders als losers weergegeven. Feitelijk was deze Nederlandse militaire campagne een catastrofe voor de Indonesiërs. Zelfs Soekarno en zijn ministers waren geïnterneerd. Uiteindelijk heeft de internationale politiek (de houding van Amerika en de Verenigde Naties) de doorslag gegeven en de onafhankelijkheid van Indonesië bewerkstelligd. De ex-generaal en zijn militaire collega's beschouwen zich als helden die hebben gestreden voor de vrijheid. Deze oud-officieren van de zogenoemde Generatie van 1945, waarvan velen al zijn overleden, koesteren hun status.

'Waarom zijn die beelden destijds niet vrijgegeven. Ze tonen toch de succesvolle Nederlandse militaire luchtlanding bij Yogyakarta en de verovering van Solo?', vraagt Soepardi zich af.

'De foto's tonen een echte oorlog en dat wilde de Nederlandse autoriteiten destijds verbloemen,' beweer ik. De generaal had het boek kwaad weggesmeten.

Het kwam niet alleen door de oude zwart-witfoto's en de verhalen. Zijn boosheid was geworteld in zijn eigen achtergrond. Later vernam ik dat zijn broer was omgekomen tijdens de strijd tegen de Nederlandse parachutisten in Yogyakarta. Het verleden van het kolonialisme en de onafhankelijkheidsstrijd is nog steeds een open zenuw. De tijd heelt niet alle wonden.

Een tropenfamilie

Op de katholieke lagere school in Bandung is Dewi, de spontane jongste dochter van Lily, het enige blanke kind tussen Indonesische kinderen. Een knap meisje met goudblonde haren in een witte katoenen jurk met korte mouwen. Ze zit op de voorste rij in het schoollokaal en houdt een vinger voor haar mond. Ze heeft een ondeugend gezicht en staart recht in de camera. Ongeveer twintig kinderen zitten in houten bankjes, die in rijen op de stenen vloertegels zijn opgesteld. Een strenge non met witte hoofddoek en een lang wit gewaad blikt onbewogen naar de schoolfotograaf. Op de achtergrond zijn houten kasten te zien. Aan de muur hangen oude schoolplaten met daarop uitgestrekte rijstvelden en rokende vulkanen. Bij de deur staat een jonge moeder in een bloemetjesjurk meewarig toe te kijken. Dit is een oude zwartwitschoolfoto uit het jaar 1961. Er zijn nog meer privéfoto's bewaard gebleven. Op een ander groepsportret uit de jaren zestig zit Dewi op haar hurken op de plavuizen. Ze heeft halflang, sluik, blond haar. Een schoonheid van een kind. Op de achtergrond zitten haar jonge Hollandse moeder, Indonesische oma en tantes op lage rotanstoelen. Ze kijken lachend naar de fotograaf. Een familie in de tropen.

Dewi leek een vrolijk kind maar op een dag zat ze verkrampt en met gekruiste benen op haar bed in de slaapkamer. Ze was in trance en sprak met de zware, doffe stem van een oude man. Het leek op het stemgeluid van opa Wachjo, de overleden vader van Amir. 'Jullie moeten niet aan mijn kleindochter komen.' Lily ging naast haar op bed zitten. De vreemde stem sprak verder en zei met een hol geluid: 'Laat haar met rust.'

Dewi kon zich achteraf van dit voorval niets meer herinneren. Haar gouden ringen waren plotsklaps allemaal verdwenen. Vreemde zaak. Volgens Lily een typisch geval van aandacht trekken en medelijden oproepen. Een geraadpleegde psychiater trok een andere conclusie: 'Kinderen die niet uit een probleem kunnen komen, verdwijnen in het probleem. Ze is blank maar toch geen Europeaan. Ze wordt als het ware naar twee kanten getrokken.'

Haar moeizame aanpassing is aan de hand van gewone familiekiekjes te volgen. De levenslustige Dewi is op een andere zwart-witfoto, tien jaar later, een jonge Indonesische vrouw geworden. Ze kijkt naar iets buiten het beeld, maar nu en profil.

In het ravenzwart geverfde haar zijn enkele witte bloemen gestoken. Het gezicht is bruingekleurd en de wenkbrauwen zijn geëpileerd tot smalle zwarte streepjes. Opvallend is een fijn geweven *kebaja* met bloemmotieven. Ze draagt diamanten oorknopjes en een halsketting met edelsteentjes. Deze foto's vertellen onbedoeld het verhaal van de metamorfose die ze in haar puberteit heeft ondergaan. Dewi had dat 'blonde en blanke' van haar moeder geërfd. Als jong meisje worstelde ze met de vooroordelen tegenover blanken. Andere kinderen vroegen steeds: 'Waar kom je vandaan?' Ze antwoordde altijd dat ze wel Indonesisch was maar niet bruin. Haar lelieblanke huid en goudblonde krullen waren te opvallend. Ze had de verkeerde kleur maar ze wilde niet 'anders' zijn. Ze wilde 'verindonesischen', bruin zijn net zoals haar oudere zus en schoolvriendinnen.

'Bruin zijn is warm, wit zijn is koud.'

Buiten speelde ze vaak in de felle tropenzon. Haar bleke gezicht werd zongebruind. Haar blonde lokken ging ze gitzwart verven. Die chemische haarverf bezorgde haar later een lichte kaalheid, die ze probeerde te verhullen. Haar moeder bewaart nog steeds zorgvuldig een blonde haarlok in een antiek lakdoosje. In die tijd was de zieke Lily niet in staat haar liefde en genegenheid te geven. Haar ouders hadden het zo druk met hun eigen onoplosbare problemen. De jonge, extraverte en onvoorspelbare Dewi maakte haar middelbare school niet af. Ze gaf de voorkeur aan party's en feesten. Ze was een nachtvlinder en bekend in Bandung. Dewi viel nogal op met haar vele gouden armbanden en ringen met edelstenen. Ze vermaakte zich en iedereen hield ook van haar. Vaak nodigde ze allerlei vrienden uit voor het eten of om mee te stappen. Ze was heel sociaal en ruimhartig, maar had ook veel geld nodig. Het onrustige karakter, de drukke gebaren en de retoriek had ze van haar vader Amir.

De sympathieke Maya reisde voor het begin van de ramadan naar haar ouders in Bandung. Haar oudere halfzus Dewi zou nu op de villa in Jakarta passen. Op zaterdagochtend kwam ze met veel kabaal binnen. Ze ontweek mijn blik en maakte een gespannen indruk. Ze spreekt geen Nederlands en beroerd Engels. Ze negeert me zoveel mogelijk. Als gast hoop ik getolereerd te worden, nu zij de scepter zwaait. Door de livingroom van de villa slentert de gezette veertigplusser Dewi op haar blote voeten over de marmeren vloer. Haar haren verft ze nog altijd zwart. De donkere ogen met smalle geëpileerde wenkbrauwen accentueren de bleke gelaatskleur met Indische trekken. Ze snauwt in het laag-Sundanees tegen de bedienden. Soms schalt haar hoge irritante lach door de villa.

'Ze weet zich geen houding te geven en is emotioneel verknipt. Ze leeft in een onwerkelijke wereld', vergoelijkt haar moeder haar. De hele dag is haar mobiele telefoon aan haar hoofd gekleefd. Vaak ploft ze neer in een fauteuil en kijkt ongeïnteresseerd naar de televisie. Dewi leest geen kranten en verdiept zich niet in politieke zaken. Daar heeft ze weinig verstand van, maar ze voert wel campagne voor de 'nieuwe Golkar', in feite de vernieuwde partij van de oude Soehartokliek. Deze partij maakt een comeback door. Er is in bepaalde kringen sprake van een zekere nostalgie naar de oude tijd onder Soeharto. Toen was er weliswaar geen vrijheid van meningsuiting maar de kosten van levensonderhoud waren redelijk op te brengen.

Vandaag heb ik de beschikking gekregen over de hemelsblauwe Volkswagen Cabrio met de jonge Indonesische chauffeur Toro. Om negen uur rijden we over de Jalan Thamrin naar het Nationaal Museum. De brede boulevards zijn op de zaterdagochtend nog bijna leeg. Achter een mistige grauwe sluier komt de skyline van wolkenkrabbers in Jakarta tevoorschijn.

De opgewekte chauffeur zet me bij het witgepleisterde museum-gebouw af. Hij blijft tot twaalf uur op het parkeerterrein wachten. Ik geef hem geld voor drank en snacks.

Het oude museum staat helemaal vol met prachtige hindoe-Javaanse sculpturen zoals een stenen beeld van de olifantengod Ganesh uit Java en een zilveren Shiva uit Zuid-Sumatra. Uit de islamitische tijd vanaf de vijftiende eeuw is bijna niets te vinden.

Na mijn museumbezoek rijdt de chauffeur me naar de befaamde Jalan Surabaya, een lange straat met tientallen stalletjes vol antiek uit de hele archipel. Toro stopt de opvallende Volkswagen aan de rechterzijde van de weg bij een kraampje. Direct stevent een aantal handelaren op me af.

'U bent de eerste toerist vandaag', zegt een zorgelijk kijkende koopman uit Jakarta. Hij toont fijn bewerkte hardhouten voorouderbeeldjes van het eiland Nias. Op de terugweg zijn we in een verkeerschaos terechtgekomen. Vandaag heeft de zon boven Jakarta een veelkleurige heiige omhulling. Volgens *The Jakarta Post* geloven veel mensen dat het vreemde verschijnsel aan de trillende horizon, dat tot het eind van de middag duurde, iets te maken had met een bovennatuurlijk fenomeen. Het was echter een combinatie van zonnestralen en zware luchtverontreiniging.

Bij mijn terugkomst die zaterdagmiddag blijkt Dewi vijf Chinese en Indonesische vriendinnen te hebben uitgenodigd. Deze veertigplussers spreken afwisselend Nederlands en Engels. Sommigen zijn getrouwd met een expat. Een vrouw heeft zojuist een jarenlange relatie met een Duitse journalist beëindigd. Ze heeft met hem veel door Europa en Amerika gereisd. De bediende brengt grote schalen snacks en andere lekkernijen. De vrouwen praten heel druk door elkaar. Na enige tijd wordt een uitgebreide Indonesische maaltijd geserveerd. Dewi voert, zoals gewoonlijk, het hoogste woord. Als ze klaar is met eten en van tafel gaat, volgen de andere dames gedwee. Ze maken het zich gemakkelijk op de koele marmeren vloer. Ik heb er geen zin meer in en vertrek naar mijn logeerkamer. Even later wordt er op mijn deur geklopt. De favoriete popster Inul Daratista is op televisie te zien. Op het haarscherpe breedbeeldscherm bekijk ik haar sexy heupbewegingen. Onverwachts vertrekken de Indonesische dames. Dewi ligt uitgestrekt op de bank. Ze laat zich gewillig masseren door de jonge huisbediende, die af en toe met een schichtige blik rondkijkt.

Lily's meer introverte en intelligente oudste dochter Nana heeft zwart, halflang haar en een lichtbruine gelaatskleur. Na de middelbare school ging ze rechten studeren aan de katholieke universiteit in Bandung. Daar werd ze gediscrimineerd en gepest omdat ze een Indo was. Ze was trots en koppig en wilde niet onderdanig zijn tegen ouderejaars. Na een jaar verliet ze teleurgesteld de universiteit. Ze begon een eigen bedrijf. Haar vaders koloniale huis in Bandung heeft ze omgebouwd tot een administratiekantoor. In de gang staat tegen de rechtermuur een grote lange bank waarvan de zittingen nog steeds in plastic zijn gehuld. Een grote ronde houten tafel met stoelen domineert haar werkruimte. In een zijvertrek zitten twee vrouwelijke medewerkers aan zeegroen gekleurde, metalen bureaus. De oude huisbediende, die haar al vanaf haar geboorte kent, zetelt in het bijgebouwtje. Hij verblijft daar dag en nacht. Hij heeft geen pensioen. Dat geldt trouwens voor veel Indonesiërs, die geen ambtenaar of militair zijn geweest.

De serieuze, hardwerkende Nana draagt een lichtroze mantelpakje en haar haar is netjes gekapt. Haar lichtgekleurde huid is bedekt met een laagje make-up. Het is moeilijk haar te bereiken. Ze wil wel glimlachen, maar haar gezicht krijgt al weer snel een strakke uitdrukking. Ze was de uitgesproken lieveling van haar vader. Voortdurend heeft hij zich heel negatief, zonder enig begrip, over haar moeder uitgelaten: haar discipline (ze is niet bepaald *easy going*), strakke moraal (je mag niet vreemdgaan) en bijna dwangmatige punctualiteit (alles precies doen volgens de regels) maakte hij belachelijk. Nooit heeft hij daaraan kunnen wennen.

Amir zei vaak: 'Luister maar niet naar die *nènèk*. Ze kan niets relativeren. Ze heeft haar eigen normen en waarden. Ze is zo typisch Nederlands.'

Zijn dochters overlaadde hij met aardige briefjes en mooie cadeaus. Op het laatst aanvaardden ze Lily ook niet meer als liefhebbende Hollandse moeder. Nana kan nog steeds niet goed met haar overweg, want er is een bijna onoverkomelijke barrière ontstaan.

Verkrampt zegt Nana: 'Mijn moeder kon niet goed voor me zorgen. Nooit heb ik warmte gevoeld.'

Als volwassen vrouw heeft ze haar nog nooit omarmd of gezoend. Ze kan het niet opbrengen. De kille afstandelijkheid straalt van Nana af. Het is een deel van haar persoonlijkheid geworden.

Enige tijd later bezoek ik de villa van Nana in een buitenwijk van Bandung. Haar echtgenoot Benny opent de deur en maakt een gereserveerde indruk. In de vierkante hal hangt een kleurrijk schilderij waarop een knappe Balinese vrouw is afgebeeld. Het ruime huis heeft hoge plafonds met kristallen kroonluchters. De huiskamer is voorzien van Perzische tapijten, mahoniehouten kasten, Chinese porseleinen vazen en brede leren fauteuils. Een blikvanger is het goudomrande schilderij met hard galopperende bruine en witte paarden op een Amerikaanse prairie. In de salon bevindt zich een geschilderd portret van hun jonge slanke zoon Achmad in traditionele Javaanse kledij.

Achmad is altijd vreselijk verwend en nu is hij een weerbarstige puber die niet meer naar zijn overbezorgde ouders luistert. Het is twaalf uur 's middags. De ongewassen Achmad zit in zijn slaapzak en staart wezenloos naar de kleurentelevisie in zijn kamer. Mompelend begroet hij me. Enige tijd later loopt hij via de tuin naar het vertrek van het huispersoneel. Met de jonge bedienden gaat hij vriendschappelijk om. Ze kaarten en roken de zoetgeurende kreteks. Verder sleutelt hij veel aan zijn motor in de garage. Op zijn dertiende had hij al een motorfiets. Hij is nogal roekeloos en heeft onlangs een motorongeluk gehad met als gevolg een zwaar gekneusd gezicht en een dubbele armbreuk. Voor zijn herstel verbleef hij een paar weken in het ziekenhuis. De minderjarige Achmad heeft ook nog niet zo lang geleden met zijn vaders auto een man op een scooter aangereden. Zijn ouders hebben zowel de politie als het gewonde slachtoffer een behoorlijk bedrag geschonken. In Indonesië is het de gewoonte een dergelijk ongeval met geld af te kopen. Op tafel ligt een Amerikaans boek met de veelzeggende titel: *How Your Child Will Become Succesfull!*

Pas na Amirs dood in 2002 heeft Lily haar turbulente levensverhaal op papier gezet. In een blauwgekaft aantekenboekje heeft ze in haar kleine handschrift haar pijnlijke verleden uitvoerig beschreven. Zo beschrijft ze de laatste uren van de sterk vermagerde Amir die aan suikerziekte leed en in een militair hospitaal lag. De elegante verschijning van vroeger was een oude grijsaard geworden. Hij lag geketend aan allerlei plastic slangetjes die waren verbonden met flesjes vol gekleurde vloeistof. Bij het witmetalen ziekenhuisbed zaten naast Lily, zijn Sundanese ex-vrouw Elly en zijn jonge Chinese vriendin Lia.

'Zo ouwe reus, hoe gaat het nu', zei Lily.

Zijn ogen bleven gesloten, hij glimlachte slechts.

Op zijn sterfbed toonde hij geen enkel berouw, hij bleef vooral positief over zichzelf denken. Diezelfde nacht is hij in zijn slaap overleden.

Zijn oogappel Nana wilde niet worden herinnerd aan het gedrag van haar geliefde vader.

'Hij was een womanizer, so what!' Zij had nooit problemen gehad met zijn buitenechtelijke escapades. 'Buiten de deur mocht hij alles doen', zei ze beslist, 'als ik het maar niet zag.'

'Dat is zo typisch Indonesisch', had Lily met ingehouden emotie gezegd. Ze had zich met moeite staande weten te houden.

'Het leven is nu eenmaal niet zonder lijden', zei Nana cynisch. Tot enig medeleven leek ze niet meer in staat.

Vertwijfeld zuchtte Lily: 'Ik voelde me zo machteloos als een gekooide vogel.'

Haar dochter luisterde niet meer en wilde zelfs Lily's dagboek verscheuren. Lily kon het nog tijdig uit haar handen rukken.

De buitenstaander

Halverwege de jaren zestig zat Guntur, de zoon van Lily, op de SMP, de katholieke middelbare school, het Sint Aloysius in Bandung. Hij was een opstandige en moeilijke puber. Soms deden zich op school vervelende incidenten voor. Zo deed hij tijdens een gymles niet precies wat hem werd opgedragen. De gymnastiekleraar maakte hierover een opmerking en Guntur diende hem van repliek. Een Indonesische jongen zou dat niet hebben gedurfd, hij had zijn mond gehouden of zachtjes iets gemurmeld. De docent was niet op zijn commentaar gesteld en gaf hem een harde trap. Thuis vertelde hij het voorval aan zijn vader. De licht ontvlambare Amir stapte naar de hardhandige gymleraar van het Aloysius. Hij benaderde hem nogal agressief en zei hem dat hij van zijn zoon moest afblijven. Met zijn rechterhand hield hij zijn colbert een beetje open zodat zijn pistool in leren foedraal aan zijn brede riem goed zichtbaar werd.

'Heb je dat begrepen?', zei hij furieus.

De leerkracht verstarde en bood direct zijn excuus aan.

Op een keer reed de jonge Guntur 's avonds over een tamelijk rustige weg in de parkachtige omgeving achter het gebouwencomplex Gedung Satéh. Een man hield hem staande en wilde zijn lichtblauwe Vespa-scooter afpakken. Toen hij pertinent weigerde zijn splinternieuwe motorvoertuig af te staan, werd hij terstond door de onbekende man in zijn rechterbovenbeen geschoten. Hevig bloedend werd hij met spoed in het Borromeusziekenhuis opgenomen.

Zijn vader bezocht hem op de eerstehulpafdeling en schakelde zijn militaire en politionele contacten in. Nog dezelfde dag was de scooter gevonden en de dader opgepakt. Na twee weken mocht Guntur, hoewel hij nog een beetje mank liep, het hospitaal verlaten.

Gunturs wens was om drummer van een band te worden. Muziek maken vond hij belangrijk. Zijn moeder had op het conservatorium gezeten. Zij hield van zingen en pianospelen. In zijn vrije tijd speelde haar vader Jan pauken in het symfonieorkest van de Spoorwegen. En haar grootvader was tamboer bij de mariniers in Indië geweest.

Voor de gevoelige Guntur zou muziek maken goed zijn geweest. Zijn strenge Javaanse vader Amir wilde het echter niet hebben dat hij een drumstel ging bespelen. Hij kon zich niet verplaatsen in de leefwereld van de gevoelige adolescent. De verstandhouding met zijn autoritaire vader werd steeds slechter. Regelmatig werd hij met een leren riem afgeranseld. Soms richtte Amir zijn pistool op de jongen en schreeuwde dreigend: 'Ik vermoord je nog eens.'

Guntur voltooide de middelbare school maar de relatie met zijn ouders, die in een diepe huwelijkscrisis waren beland, raakte steeds meer getroebleerd. Op zijn zeventiende werd de onhandelbare jongeman naar het koude, vreemde Nederland gestuurd. Daar kwam hij terecht op een kostschool in de bossen van Hollandse Rading om zich door studie en discipline voor te bereiden op een maatschappelijke loopbaan in Indonesië. Op de Javaanse jongen die met een licht accent sprak, werd goed gereageerd. Hij omarmde de nieuwe vrijheid van de jaren zestig. Op een schoolfoto uit 1970 maakt Guntur een goedlachse indruk terwijl hij te midden van zijn uitgesproken Hollandse klasgenoten staat. Hij lijkt zich zonder problemen te hebben aangepast.

Na bijna twee jaar keerde hij met meer zelfvertrouwen terug naar Indonesië. Zijn Nederlands was sterk verbeterd en zijn kleding en schoeisel waren meer Europees geworden. In Indonesië deed hij geen vervolgstudie meer. Met zijn oude vrienden, afkomstig uit een goed milieu en met dezelfde intellectuele achtergrond, had hij geen contact meer. Hij leefde nogal solitair. De welgemanierde en verwesterde jongeman die vloeiend Engels en Nederlands sprak, ontmoette een jonge Javaanse vrouw. Op een scherpe zwart-wittrouwfoto is de goed gecoiffeerde Guntur in kostuum met wit overhemd en gestreepte stropdas met zijn jonge echtgenote te zien. Samen snijden ze een grote witte bruidstaart aan. Zijn vrouw was lid van de christelijk fundamentalistische Adventkerk. Guntur mocht niet roken en geen alcohol drinken of vlees eten. Deze relatie hield niet lang stand en na een paar jaar is hij gescheiden.

Guntur leest veel maar mist een intellectuele lotgenoot of vriend. Hoewel hij geen zichtbare complexen heeft, voelt hij zich als half Indonesische, half Nederlandse jongeman een buitenstaander tussen de Indonesiërs. Zijn moeder introduceerde hem via haar contacten bij de Zwitserse ambassade. Daar vindt hij een administratieve baan, maar hij moet van onderaf aan beginnen en is net iets meer dan de chauffeur. Door zijn afkomst en scholing verdient hij een betere positie. Hij heeft moeite met het aannemen van een onderdanige houding tegenover de blanke ambassadestaf en de ambassadeur. Thuis ging Guntur van jongs af aan om met diplomaten, generaals en politici die op bezoek kwamen. Hij toonde geen enkele schroom tegenover de Indonesische elite die over de vloer kwam en sprak vlot en ongedwongen met iedereen. Op de ambassade is hij echter een gewone employé, een 'nobody'.

In de formele ambiance van de ambassade houdt hij het slechts één jaar uit. Daarna zoekt hij zijn eigen weg in het postkoloniale Indonesië. Al snel heeft hij vooral contact met Javaanse drop-outs en gesjeesde studenten, mensen met een heel andere levensstijl en belangstelling. Deze periode blijft schimmig, Guntur hield zich met allerlei onduidelijke zaken bezig. Tijdens zijn omzwervingen in Jakarta liet hij nauwelijks sporen achter. Wel had hij veel bier nodig om na te denken en troost te vinden; de tengere jongeman raakte aan de drank. Nadat hij met de alcohol was gestopt, stapte hij over op literflessen Coca-Cola en kwam meer dan tien kilo aan.

Zijn vader had hem niet ingewijd in de tradities van de Javaanse cultuur en verloochende zijn eigen adellijke afkomst. Hij wilde zijn zoon niets opleggen of hem in een bepaalde richting duwen. Zelf was hij door zijn opvoeding en scholing vooral Europees georiënteerd, hij sprak perfect Nederlands en trouwde met een Hollandse vrouw. Zijn zoon behoorde niet tot de westerse cultuur maar wortelde ook moeizaam in de Indonesische samenleving. Het ontbrak hem aan een goede vriend of vaderfiguur die hem stimuleerde in zijn zoektocht naar identiteit en zelfstandigheid, terwijl hem dat zeker meer houvast had kunnen bieden.

Guntur moet het allemaal zelf uitzoeken. Mensen, die hem niet kennen, beschouwen hem als een Europeaan, een buitenlander, een toerist. Hoewel hij een Europees uiterlijk heeft, gedraagt hij zich als een Indonesiër. Hij is en voelt zich ook een Indonesiër.

In 1985 hertrouwde hij. De van huis uit christelijke Guntur was verliefd geworden op Inah, een Javaanse moslima. Hij bekeerde zich tot de islam om met zijn nieuwe vriendin te kunnen trouwen. Guntur vertelde dat je al moslim werd als je een paar regels uit de Koran had opgezegd. De *hadji* benadrukte wel dat christenen in de hel komen en alleen moslims naar het paradijs gaan. Zijn islamisering leidde niet bepaald tot frequent moskeebezoek. Sterker nog, na enige tijd meed hij de moskee. De islam speelde in zijn dagelijkse leven geen enkele rol. Zijn bekering was louter uit noodzaak en niet uit overtuiging voortgekomen.

Op de huwelijksfoto's draagt Guntur een glimmend grijs pak met een zwarte stropdas. Hij is behoorlijk dik en heeft een bril met grote glazen; dergelijke brillen waren destijds modieus. Guntur lijkt op een geslaagde Europese manager. Ook Inah ziet er welvarend uit.

In 1990, hun zoon Ariel is dan drie jaar oud, vieren ze hun vakantie in de sultansstad Yogyakarta. Op de foto's is een zorgeloos, gelukkig gezin te zien. Guntur heeft een hechte relatie met zijn tweede vrouw Inah. Ook in intellectueel opzicht zijn ze aan elkaar gewaagd.

Zijn hond, een boxer, zit altijd trouw naast hem op een stoel. De laatste jaren is Guntur rustiger geworden. Hij kan goed omgaan met de Sundanezen. Per slot van rekening is hij afkomstig uit Bandung en spreekt hij het zangerige Sundanees. Soms loopt hij bewust als een Sundanese heer: hij beweegt zich waardig en buigt zijn hoofd een beetje uit ontzag. Hij eert de mensen die hij ontmoet, maar gebruikt daarbij een code die niet meer van deze tijd is. Zijn ouderwetse beleefdheid wordt door de omgeving niet altijd begrepen. In Jakarta wordt hij zelfs geconfronteerd met mensen uit lagere milieus, die deze vormelijkheid niet eens herkennen. Daardoor voelt hij zich soms niet op zijn gemak. In zijn omgang met beter geschoolde mensen is hij ook onzeker, omdat hij voelt dat zijn kennis en informatie tekortschiet. Hij merkt kortom dat hij nooit helemaal en misschien zelfs wel helemaal niet zal worden begrepen en geaccepteerd zoals hij is. Hij wil wel een doorbraak forceren maar weet niet op welke manier.

Uiteindelijk geeft hij zich over aan een lichte melancholie. De verwarrende buitenwereld laat hij achter zich en hij trekt zich terug met zijn boeken. De eenzelvige Guntur verschanst zich achter een muur van papier in de marge van de samenleving. Maar iemand in Indonesië die veel boeken leest, wordt al gauw beschouwd als eenzaam en zonder vrienden.

De familie wilde eerst niet dat ik zou worden geconfronteerd met mijn tweeënvijftigjarige achterneef Guntur, die al vijfentwintig jaar in de vervallen stadswijk Senen in Jakarta woont.

Lily zei: 'Jullie zijn bloedverwanten.' Ze vond dat ik ook Guntur moest ontmoeten. 'Hij woont in een klein oud huis. Het is daar armoedig', zegt ze treurig.

Mijn achterneef is al jaren werkloos. Zijn studerende zoon Ariel wordt door de gefortuneerde Lativa onderhouden. Ze betaalt zijn schoolgeld, kleding en sportclubs.

Guntur heeft nog maar een paar voortanden in zijn mond.

Lily zegt: 'Ik heb hem een kunstgebit aangeboden. Vooralsnog wil hij niet naar de tandarts.'

Op zondagochtend lijkt de miljoenenstad Jakarta welhaast uitgestorven. We rijden door de schaduwrijke lanen met oude koloniale villa's in het stadsdeel Menteng. De zondagsrust roept bij mij herinneringen op aan oude beelden van dit voormalige Europese tuindorp. Slechts enkele wandelaars en een eenzame fietser zijn op straat waar te nemen. Op de boulevards langs de glimmende kantoortorens kunnen we nu snel doorrijden. Heerlijk, geen files. Na drie kwartier komen we aan in de woonwijk Senen waar lage, eenvoudige huizen staan. We slaan bij de oude Chinese markt Pasar Senen rechtsaf, rijden een stuk rechtdoor en gaan dan linksaf over de Tanah Tinggi Timur met in het midden de Sentiang, het afvoerkanaal dat zwart, drabbig, stinkend water loost. Aan beide zijden staan lage woningen en bedrijfjes. Vlak bij de hoek bevindt zich het huis dat een roestbruin, golfplaten dak heeft. Guntur staat ons al buiten op te wachten. Het valt me op hoe blank hij eruitziet. Hij heeft een lichte gelaatskleur, sluik haar, een kleine grijze snor, een spitse neus en diepliggende donkere ogen.

Zijn Indonesische vrouw staat in de deuropening. Een slanke, eenvoudig geklede vrouw met een deplorabel gebit. De chauffeur parkeert de Kijang op de kleine oprit. Onophoudelijk rijden er auto's door deze straat. Het lawaai, de diesellucht en hitte blijven hangen. Lily stapt uit en geeft Guntur en zijn vrouw Inah een zoen. De verwijdering tussen moeder en zoon is bijna voelbaar. Ze zien elkaar heel weinig. De chauffeur gaat bij een stalletje om de hoek koffie drinken. Ruim veertig jaar geleden hebben we elkaar voor het laatst in Den Haag ontmoet. Ik herken hem bijna niet meer. Guntur draagt een versleten grijze lange broek met een wit-grijsgeblokt overhemd. Zijn bescheiden woning heeft een kleine voorkamer met wat exotische snuisterijen en tekeningen aan de wand. Verkeerslawaai van de straat dringt moeiteloos door de dunne muren naar binnen. In de woonkamer schettert uit de oude kleurentelevisie een reclameboodschap voor een nieuw merk tandpasta voor hagelwitte tanden. De tafel is gedekt voor de warme maaltijd. Het ziet er sober maar verzorgd uit. Zijn vrouw schenkt vers mangosap in de glazen en dient later de rijst en vleesgerechten op. Het geanimeerde gesprek wordt afwisselend in het Nederlands en Engels gevoerd.

De ongedwongen Guntur is op eigen kracht een redelijk ontwikkelde man geworden. Hij heeft in deze hectische stadsjungle zijn hart verpand aan historische boeken over het oude Indië en het postkoloniale Indonesië. Hij is ervan bezeten.

'Boeken zijn mijn houvast. Wat zou ik zonder moeten beginnen. Veel lezen heeft me geholpen', mompelt hij.

Hij leest onophoudelijk om zoveel mogelijk kennis te vergaren. Hij wil niet nog eens door de geschiedenis worden meegezogen zoals in die gevaarlijke periode 1965/1966, toen hij zich als veertienjarige jongen bij het fanatieke anticommunistische scholierenleger KAPPI aansloot.

In die periode kwam Soeharto met geweld aan de macht en vestigde zijn autoritaire regime.

We praten over politiek, de militaire dictatuur, machtsmisbruik en het kolonialisme. Natuurlijk vertel ik hem over de ervaringen van zijn Hollandse overgrootvader Jan, die eind negentiende eeuw als jonge marinier aan de koloniale oorlog in Atjeh en Lombok heeft deelgenomen. Ik geef hem een nieuwe afdruk van zijn vergeelde portretfoto in militair tenue. Guntur heeft deze verhalen nooit eerder gehoord. Het was een verzwegen familiegeschiedenis.

De laatste jaren heeft hij geen geld meer om boeken te kopen. Soms leest hij de nieuwe publicaties in de boekwinkel of in de bibliotheek.

In een grote bruine kast staat achter glas een verzameling vergeelde en kromgetrokken boeken over de turbulente geschiedenis van Nederlands-Indië en Indonesië.

'De tropische vochtigheid tast de boeken langzaam aan. Ze raken beschimmeld en hebben gele fluwelige vlekken. Ze worden aangevreten door minuscule beestjes', zegt hij somber met zijn bijna tandenloze mond.

Bijna toonloos vervolgt hij: 'In het vorige huis is een deel van mijn boekencollectie tijdens een *bandjir* weggespoeld. De boeken verdwenen in een dikke stroom stinkende modder.' In de laaggelegen dichtbevolkte delen van Jakarta is tijdens de natte moesson veel wateroverlast. Na langdurige stortbuien lopen de *kali's* over. De straten worden dan kolkende rivieren.

Door de economische crisis, grenzeloze corruptie en politieke willekeur kwamen in het voorjaar van 1998 de studenten en de arme bevolking in verzet tegen het dertigjarige autoritaire bewind van Soeharto. Ze waren niet langer bang. Overal hadden ze leuzen gekalkt als 'reformasi atau mati' (hervormingen of de dood). Het was maandenlang onrustig in de stad. Bij het uitbreken van de volksopstand in mei van dat jaar ontvluchtten duizenden westerlingen en Chinese zakenmensen het hectische Jakarta. De volkswoede richtte zich vooral op de rijke Chinees-Indonesische minderheid. Zij werd tot zondebok voor de armoede van de gewone burgers gemaakt. Javanen van Chinese afkomst werden gemolesteerd en soms vermoord en hun winkels werden leeg geroofd. Ook de glimmende kantoortorens en luxueuze winkelketens van Soehartogetrouwen werden geplunderd en gebrandschat.

Guntur was ooggetuige van de verwoestende tornado van tienduizenden uitzinnige mensen die door de dure *shoppingmalls* en zakenwijken van de metropool Jakarta trokken.

'Het was een ware destructiedrift; een zwart verlangen om alles uit het Soehartotijdperk te vernietigen', vertelt Guntur, 'De grootschalige rellen duurden zeker drie dagen voordat het leger en de politie ingrepen. Ze hebben de zaak bewust uit de hand laten lopen.'

En hij vervolgt: 'Grote groepen mensen, niet alleen arme kampong-bewoners, maar ook gewone burgers bestormden de winkelpanden van de etnische Chinezen aan de overkant van mijn straat. Ze namen televisies, computers, magnetrons en zelfs grote vriezers op hun rug mee. Alles werd gestolen. De wraak van de kanslozen. Ze vonden dat deze goederen eigendom van het volk waren. In de krottenwijken is nauwelijks elektriciteit voor deze energieverslindende apparaten. De kampongoudsten hadden opgeroepen de geplunderde spullen, waarvan een groot deel al was doorverkocht, binnen vierentwintig uur terug te brengen. Later werd een aantal koelkasten, wasmachines en diepvriezers weer ingeleverd. Mensen sjouwden die zware apparaten terug naar de winkels. Een verbijsterend tafereel.'

Het was totale chaos. Op Hemelvaartsdag 1998 viel het bewind van de potentaat Soeharto.

De *Orde Baru*, de Nieuwe Orde was voorbij.

Na Soeharto's val is de islam meer op de voorgrond gekomen, maar heeft niet de macht overgenomen. De politieke islam is sterk in opkomst en protesteert tegen de corruptie, armoede en werkloosheid. Op dit moment vormen deze fundamentalistische en radicale groeperingen, die een islamitische staat en de leefregels van de sharia willen invoeren, een minderheid. In Indonesië, het land met de grootste moslimpopulatie ter wereld, is de gematigde islam nog dominant, maar het straatbeeld verandert en modieuze Indonesische meiden maken plaats voor vrouwen in verhullende islamitische kleding.

Guntur constateert dat steeds meer jonge moslims radicaliseren.

Met bedachtzame stem zegt hij: 'Het gebrek aan een goede opleiding houdt de jongeren onwetend. Op de strenge islamitische *pesantren* leren ze vooral Arabisch en foutloos Koranverzen voor te dragen. Ze zijn gemakkelijk door gewetenloze religieuze predikers te beïnvloeden.

Deze indoctrinatie kan worden voorkomen door goede scholing te stimuleren.' En hij vervolgt: 'Indonesische leiders durven de macht van de fundamentalistische Koranscholen niet in te perken. Dat komt omdat ze NATO zijn, No Action Talk Only.'

Op dat moment komt zijn enigszins verlegen zoon Ariel binnen. Een slanke jongen met zwart sluik haar. Hij is in het zwart gekleed en komt van de sportclub waar hij aan vechtsport doet. Lily geeft hem een slap handje. De begroeting is nogal afstandelijk en contrasteert met haar omgang met de andere kleinkinderen. De sympathiek ogende jongen voelt zich niet zo op zijn gemak. Hij knippert onzeker met zijn ogen en verdwijnt onopgemerkt.

Enige tijd later nemen we afscheid van de aimabele Guntur en zijn vrouw Inah. Ik hoop hen over een of twee jaar weer terug te zien.

Tijdens de terugreis zegt Lily berustend: 'De laatste jaren doet hij eigenlijk niets meer en houdt hij zijn hand op.'

Soms ondersteunt de fortuinlijke Lativa hem financieel. Soms koopt ze zelfs nieuwe kleren voor Guntur, ze kent zijn kledingmaat, en laat de nieuwe spullen door een bediende bezorgen. Hij heeft wel moeite met het accepteren van deze giften. Eigenlijk zou hij nog liever zijn antieke stoelen en krissen verkopen dan geld van zijn familie aannemen. Hij heeft werk noch inkomen. Sociale uitkeringen bestaan niet in Indonesië en het is in deze harde samenleving moeilijk een baan te vinden. Dat is al slopend voor een Indonesiër, maar nog meer voor iemand van gemengde afkomst, een halfbloed.

Al eerder had Lativa hem een huis aangeboden in het nieuwe complex Dago-Boven bij Bandung. Het complex lag in de koele bergen en bestond uit kasteelachtige woningen die in neogotische en quasi Arabische stijl waren opgetrokken. De bewoners waren afkomstig uit de heersende klasse. Wat moest hij daar doen? Zijn trots en verlegenheid weerhielden hem ervan om dit goedbedoelde aanbod te aanvaarden. Guntur wilde niets te maken hebben met de wereld van superrijke generaals, politici en zakenmensen. Hij wilde vooral met rust gelaten worden. Zijn vrouw

Inah wilde vanwege haar familie en haar werk Jakarta niet verlaten. Guntur had ook de door Lativa aangeboden reis naar Mekka geweigerd. Hij voelde zich geen echte islamiet. Guntur kan en wil beslist niet meer weg uit het onverschillige en ranzige Jakarta. Hij blijft een afstandelijke waarnemer, een outcast in de tropen met een weemoedige glimlach.

De laatste zondagmiddag voor mijn vertrek verblijf ik alleen in de logeerkamer van de villa in Kebayoran. Ik ben moe en voel me ongewenst; er zijn geen lakens meer voor mijn bed, mijn rijstmaaltijd wordt koud geserveerd en als ik de auto wil gebruiken, blijkt hij met chauffeur en al voor mijn neus te zijn weggekaapt. Deze westerse toeschouwer, die op zoek is naar een verborgen familiegeschiedenis, is duidelijk niet meer gewenst. De affaires uit het verleden mogen niet worden opgerakeld. Mijn grenzen als buitenstaander heb ik overschreden. Om vier uur zou ik naar de luchthaven worden gebracht, maar de vileine Dewi is met de blauwe Volkswagen Cabrio op stap. Onze communicatie is nooit bijzonder goed geweest, maar nu heeft ze besloten me helemaal te negeren.

Tegen het eind van de middag belt Guntur me op en vraagt of ik langs kan komen. Hij wil nog meer sluimerende, oude herinneringen ophalen.

'Het verhaal over de familie is vol mysteries. Niets is zo onvoorspelbaar als het leven in de tropen. Je moet alles opschrijven en publiceren', zegt hij bijna dwingend.

Het centrum van Jakarta en ook Gunturs stadswijk Senen is door lange files onbereikbaar. De *security man* zegt dat ik beter snel een Silverbird kan bestellen om tijdig op het Soekarno-Hattavliegveld aan te komen. Ik pak mijn koffer en stap in de gearriveerde taxi. Het hek gaat langzaam automatisch open. Slechts de geüniformeerde bewakers zwaaien me uit.

Ja, tabee dan.

Deel IV

Weerzien

Najaar 2005. De regentijd is begonnen. Ik ben weer terug in Jakarta. Op een lage witte muur langs de weg zijn leuzen gekalkt. 'Tanah Kusir' met een vredesteken en het woord 'Israël' met daarachter een rondje met kruis. Dit moeten we lezen als 'dood aan Israël'. Wereldwijd identificeren moslims zich met de Palestijnse strijd; ook sinds betrekkelijk kort Indonesische moslims. Het maakt deel uit van de toegenomen wrok tegen het Westen.

Het is vroeg in de ochtend. Lily en ik zijn onderweg met de stationwagon naar de islamitische begraafplaats Tanah Kusir in Zuidwest-Jakarta. Onderweg halen we bloemen bij een stalletje. Bij de ingang van het kerkhof kopen we een paar zakjes met *sedap malam*, die licht zoetig geuren. Deze welriekende bloemen worden gebruikt bij de herdenking van geliefde overledenen. In de koloniale tijd was deze plek een open grasland buiten de stad. Er stroomde een kleine beek met helder water. Veel koetsiers van *delemans* en *grobaks* kwamen naar deze plek om de paarden te laten rusten en grazen. In een klein etablissement kon je vers vruchtensap drinken.

Nu bevinden zich op dit laaggelegen land lange rijen goed onderhouden graven, die er allemaal identiek uitzien. Het terrein wordt omgeven door een heuvelrand met verspreid gelegen stadskampongs. In de verte is het geluid van een voorbij razende trein te horen. De spoorlijn naar Serang ligt langs de buitenrand van deze dodenakker. Hier liggen de superrijke Diman, de echtgenoot van Lativa, en ook mijn arme achterneef Guntur begraven. De geslaagde jonge zakenman Diman is na een lang ziekbed aan een hersentumor overleden. De romanticus Guntur werd onverwachts door een fatale hersenbloeding getroffen. De ironie van het lot.

Ibu Lily verhaalt over die dramatische avond. De familie werd gewaarschuwd. Midden in de nacht belde Nana haar moeder: 'Doe de voordeur eens open.'

Lily zei slaperig: 'Wat is er aan de hand?' Haar hart ging harder kloppen. Ze kreeg een angstig voorgevoel.

'We staan voor jouw huis', zei Nana door haar mobiele telefoon.

Ze snelde naar de deur en de aangeslagen Nana en haar man Benny kwamen binnen.

'Ga gauw zitten', zei haar schoonzoon.

Hij boog zijn hoofd en sprak langzaam: 'Guntur is plotseling overleden.'

Lily werd overvallen door onnoemelijk veel gevoelens.

De begrafenis vond, zoals gebruikelijk in de tropen, nog dezelfde dag plaats. Dus vertrokken ze heel vroeg in de ochtend met de auto naar Jakarta. Daar lag Guntur in een gebatikte *kaïn* al opgebaard op een lage bank. Men had gewacht op de komst van de rest van de familie.

Zijn lichaam kon nu worden gewassen en er werd rozenwater over hem gesprenkeld. Zachtjes werden gebeden gepreveld. Volgens islamitisch voorschrift werd hij in witkatoenen doeken gewikkeld en in een kist het huis uitgedragen. Naaste familieleden liepen onder de doodskist door. Een vorm van afscheid nemen. Met een ambulance werd hij naar de begraafplaats Tanah Kusir in Zuidwest-Jakarta gebracht. Na het gebed en wat kleine toespraken werd zijn in de witte lijkwade gewikkelde lichaam in een diepe grafkuil gelegd en met roodbruine aarde toegedekt. Zijn grafmonument bevond zich dicht bij Diman, die een jaar eerder was overleden en op hetzelfde exclusieve kerkhof zijn laatste rustplaats had gevonden. De jonge, schatrijke weduwe Lativa had alles voor de begrafenisplechtigheid van Guntur geregeld en ook zijn achtergebleven vrouw Inah en zoon ondersteund. Mijn Indonesische achterneef Guntur, het zwarte schaap van de familie, was in nog geen etmaal van de aardbodem verdwenen.

We zoeken naar hun graven. Op een marmeren plaat met Arabisch en Europees schrift lezen we: Diman, zoon van dr. Hartarto, daaronder is zijn sterfdag in april 2004 vermeld. Bij het hoofdeinde van het graf staat een vaas met witte bloemen. Lily giet voorzichtig een beetje water uit een glazen fles over het graf dat is begroeid met fijn, kortgeknipt gras. Dit ritueel begint bij het hoofd en eindigt bij de voeten. Daarna worden de witte jasmijnbloempjes op dezelfde wijze gestrooid. Dimans familie heeft nog zes andere graven gereserveerd. We gaan op zoek naar het Gunturs graf dat zich een paar rijen verder bevindt. Er staat een frangipane, op Java doorgaans *kemboja* genoemd, met lichtgele bloesem.

Ook hier een marmeren plaat en een inscriptie met zijn adellijke titel Raden en voornaam Guntur. Daaronder staat zijn geboortedatum en sterfdag in mei 2005. Ook zijn graf besprenkelen we met het water en bestrooien we met de witte bloemen. Bij Lily valt geen enkele emotie te bespeuren, maar binnen in haar woedt het verdriet over de dood van haar zoon met wie ze een moeizame relatie onderhield. Ze blijft met haar grijze parasol even in gedachten staan en loopt dan weer terug naar de wachtende stationwagen. De multimiljonair Diman en de straatarme Guntur hebben hetzelfde soort grafmonument. Pas na de dood worden ze gelijkwaardig behandeld. Volgens traditie worden de overledenen op de zevende, veertigste, honderdste en, als afsluiting, duizendste dag na de uitvaart herdacht. Op die dagen komen familieleden en vrienden bij elkaar. Er wordt voor de zielenrust van de doden gebeden, waarna een gezamenlijke maaltijd wordt genuttigd.

Van Zuidwest-Jakarta rijden we zwijgend naar de oude stadswijk Senen in het centrum. We gaan een bezoek brengen aan Inah, de Javaanse weduwe van mijn achterneef. Ze is weer begonnen met het maken en verkopen van *home made cookies* in plastic doosjes. Ze bakt kaas-, havermout- en ananaskoekjes. Zo probeert ze in haar levensonderhoud te voorzien.

Langs de weg hangen gele linnen doeken waarop in zwarte letters wordt geageerd tegen de terreur en de Bali Bom II. Opnieuw zijn er dodelijke bomaanslagen op bars en restaurants in de badplaats Kuta Beach op Bali gepleegd. De jonge aanslagplegers van de radicale Jemaah Islamiyah hadden de explosieven in hun rugzakken verstopt. In de Indonesische media en maatschappij is een toenemende kritiek op het terrorisme te bespeuren. In korte tijd werd een aantal radicale moslimleiders gearresteerd en de terreurorganisatie deels ontmanteld.

We rijden op de Tanah Tinggi Timur en stoppen voor het lage metalen hekwerk van Gunturs hoekhuis. Zijn kleine voorerf grenst aan een *warung* waar afgesloten glazen kasten vol snoepgoed, limonades en sigaretten staan. Over de betonnen afvoergoot is een kleine houten vlonder neergelegd. Daarop staan twee rode, vierkante koelboxen met het opschrift Coca-Cola. Een knappe jonge vrouw in wit T-shirt en een gebloemde broek zit op een van de boxen. Een golfplaten afdakje moet de regen tegenhouden. Op een felgekleurd affiche met zwart opschrift wordt reclame gemaakt voor Extra Joss, een bekend vitaminedrankje. Er zitten twee mannen lusteloos op een gammele houten bank. Auto's razen over de weg. Een onophoudelijk knetterende verkeersstroom. Er hangt een vochtige lome hitte en een penetrante dieselucht. We openen het hek waarop een bordje is bevestigd met de tekst in Bahasa Indonesia 'Alstublieft hier niet parkeren'. Er staan een paar bomen in de onverzorgde tuin. Op het terras bevinden zich oude potten met planten. De massief houten deur staat open. Inah loopt over de oude plavuizen vloer naar me toe. Ze heeft kortgeknipt zwart haar en draagt een lichtgroen gestreept T-shirt met beige short. Haar handen trillen. Starend in het niets vouwt ze de afgegeven envelop met dollars dubbel. Ze ziet er moedeloos uit. Haar gezondheid, ze heeft diabetes, is duidelijk achteruitgegaan.

We nemen plaats aan de houten tafel. De televisie op het dressoir braakt onzinnige reclameboodschappen uit. Het is benauwd onder het ijzeren, golfplaten dak. Een grote ventilator draait op volle toeren om de hitte draaglijk te houden. Door de openstaande voordeur komen met een vlaag wind ook de uitlaatgassen en het verkeerslawaai naar binnen. Een ingelijste foto van de magere Guntur met zijn diepliggende ogen, hoge voorhoofd en geprononceerde neus hangt aan de muur. Een Indonesiër met Hollands bloed. In zijn bleke gezicht herken ik de familietrekken. Inah brengt twee koude blikjes cola.

Ze vertelt over de fatale gebeurtenis: 'Die zondagavond was Guntur een brief aan het schrijven. Het was bijna middernacht. Guntur liep naar buiten om het hek aan de straatkant af te sluiten.'

Plotseling hoorde ze lawaai. Op dat moment bevond zij zich nog in de badkamer achter het huis. Haastig liep ze naar de woonkamer. Daar strompelde Guntur naar binnen en viel vlak voor de grote boekenkast op de grond neer. Hij had vreselijke pijn. Met beide handen hield hij zijn hoofd vast. Hij stierf na enkele minuten in de armen van zijn vrouw. Inah had direct iemand van de familie, een arts, gebeld. Het duurde een kwartier voordat hij arriveerde. Hij constateerde een herseninfarct. Er was een bloedvat in Gunturs hoofd geknapt.

Inah heeft het moeilijk en maakt een gesloten indruk. Ze drukt haar emoties weg. Jaren geleden is haar eerste man bij een vliegtuigongeluk op Zuid-Sumatra omgekomen. Haar tweede man Guntur is ook onverwachts te jong overleden. Natuurlijk stel ik de vraag die mij al maanden bezighoudt: 'Wat is er dan precies gebeurd?'

Inah zegt: 'Ik weet het niet. Eigenlijk heb ik helemaal niets gezien.'

Op mijn verzoek haalt ze een fotoalbum met beelden van de overleden Guntur en de begrafenis in Tanah Kusir. Op kleurenfoto's is te zien dat hij een verwrongen trek rond zijn mond heeft en zijn gesloten ogen lijken nogal dik en blauwig opgezet. Zijn hele gezicht is opmerkelijk opgezwollen. Hij is bijna niet meer herkenbaar. Wat laten deze uiterlijke sporen zien? Er zijn twee manieren waarop je dood kunt gaan, de werkelijke doodsstrijd en het verhaal dat de mensen erover te horen krijgen. Gunturs dood laat me niet meer los.

Zijn moeder heeft deze foto's nog niet eerder gezien. Ze heeft geleerd haar emoties te bedwingen en haar gevoelens zijn moeilijk te peilen. We nemen afscheid. Lily maakt zich in de auto op. Ze doet rode lippenstift op haar lippen en terwijl de auto langzaam optrekt zegt ze: 'Soms stinkt die open riolering voor hun huis zo vreselijk.'

In de avondspits rijden we naar de villa van haar kleindochter Lativa in Zuid-Jakarta. 'Ze is in werkelijkheid nog mooier dan op de foto's', zegt Lily opgetogen. Enorme billboards domineren het straatbeeld. Voor een sigarettenreclame van het merk Djarum Super is een man in kaki safaripak staand in een open landrover afgebeeld. Met een verrekijker observeert hij een berglandschap met een lichtblauw meer op de achtergrond. Bij de villa in Kebayoran staan veel geparkeerde luxeauto's en terreinwagens op de brede oprijlaan. In de ontvangstruimte worden we begroet door de jonge weduwe Lativa. Een serene schoonheid.

Haar geliefde Diman is vorig jaar na een lang ziekbed aan een hersentumor in een ziekenhuis in Houston overleden. Zijn lichaam is in een speciale kist per vliegtuig naar Jakarta overgebracht. Volgens traditioneel gebruik werd na zijn overlijden een uitgebreide *selamatan* gehouden. Lativa werkt hard en heeft een eigen notariskantoor. Ze is veel op reis om haar verdriet te onderdrukken. Ze houdt van het uitgaansleven in Jakarta en kan zich financieel alles permitteren. Er is een speciaal diner voor het personeel van Lativa's kantoor ter gelegenheid van het begin van de vastenmaand. Na zonsondergang worden een Sundanese en Japanse maaltijd klaargezet. Een tiental juristen met vrouw of vriendin schuifelen langs een grote tafel met allerlei gerechten. Een lopend buffet.

In de fraai ingerichte suite met grote landschapsschilderijen drinken mannen koffie terwijl ze met elkaar converseren. Ze roken sterk geurende sigaretten. De sfeer is tamelijk ongedwongen. Na afloop wordt er aardbeien- en chocolade-ijs geserveerd in kartonnen bakjes. De grote livingroom wordt gedeeltelijk vrijgemaakt voor het avondgebed. Op de grond worden donkerbruine en mosgroene gebedskleedjes uitgerold richting Mekka. Ze zijn gedecoreerd met arabesken en geometrische patronen. Soms staat de heilige zwarte steen van Mekka op het kleedje. Chauffeur Toro, die ook voorzanger is, begint met het monotone geluid van het avondgebed. Een aantal vrouwen trekt een lang wit bidkleed over hun moderne kleding aan. Ze zijn nu geheel bedekt en gereed voor het gebed. Iedereen heeft zijn voeten, handen en gezicht gewassen. De mannen staan op de voorste rijen. Daarachter hebben de vrouwen zich opgesteld. Er wordt hardop gebeden. De voorzanger begeleidt het gebed.

Geregeld wordt er geknield en weer opgestaan. Het duurt tamelijk lang. Sommige vrouwen en mannen doen niet mee, ze blijven gewoon praten of drinken. De gebeden worden zo nu en dan verstoord door een opgewonden lachje of irritante herkenningstoon van een mobiele telefoon. Een mooie jonge vrouw, ze heet Nia, draagt een strakke zwarte jeans en dito T-shirt met een doodskop en het opschrift Zero. Ze glimlacht naar me. Op dat moment zit ik op een bankstel in neo-empire stijl onder een groot schilderij van het echtpaar Diman en Lativa. Op het schilderij draagt Lativa een lichtroze mantelpak met om haar hals een ragfijne gouden ketting met diamantjes. Haar weelderige bos zwarte haar omlijst haar lichtgetinte gezicht. Lativa heeft een mooie *kopi susu* teint. Ze staat achter Diman en heeft liefdevol haar armen om hem heen gelegd. Diman draagt een donker pak, wit overhemd en fijn bewerkte stropdas. Zijn zwarte haar contrasteert met zijn ietwat bleke gezicht. Ze zien er gelukkig uit.

De airco draait op volle toeren. Het is zelfs koud.

Als de gasten zijn vertrokken, ruimt het personeel alles op. Tientallen kleine gebedskleden worden opgeborgen. Het zware Perzische tapijt wordt weer uitgerold. De ronde en fraai bewerkte Chinese tafel, oorspronkelijk bedoeld als goktafel, wordt op zijn plaats gezet. De enorme porseleinen vazen, van Chinese herkomst, staan weer in de hoek van de kamer. De rust in huis is teruggekeerd. De sensuele Nia kijkt me aan en vraagt of ik nog wat ijs wil. Ze is een jonge weduwe. Later blijkt dat ze een Molukse vriend met een grote snor heeft. Hij draagt een zwart T-shirt met een zilveren opdruk van het hoofd van Jezus. Deze christelijke Ambonees is, zoals ze zelf zegt, haar lover. Hij is zeker tien jaar jonger.

Ik zie dat Lativa's moeder Dewi, ze ligt languit op de bank, gemasseerd wordt door de tengere Vika. Ze geeft een speciale massage: met haar krachtige, kleine voeten loopt ze langzaam over het volle, ronde lichaam van Dewi, die zachtjes kreunt. Vika houdt zich met haar smalle handen vast aan het grote olieverfschilderij dat boven de bank hangt. Ze probeert haar evenwicht zo goed mogelijk te bewaren en soms wiebelt het kunstwerk nogal heftig. Na de massage blijft Dewi als verdoofd liggen. Ik drink een paar glazen mineraalwater. Een nogal donkere man komt binnen. Dewi introduceert hem als haar minnaar hoewel hij is getrouwd en kinderen heeft. Ze heeft steeds weer andere mannen. Blijkbaar kan en wil Dewi zich niet binden en stort ze zich in korte affaires.

'Ze heeft altijd een soort gang nodig, die ze allerlei dingen laat doen', zegt Lily. 'Nia doet haar boodschappen. Vika masseert haar. Deze ondergeschikten kijken naar haar op en van die aandacht geniet Dewi enorm. Ze wil aardig gevonden worden, want dat streelt haar ijdelheid. Dat had Amir ook.'

Ze vervolgt: 'Deze mensen profiteren daarvan, ze krijgen geld en luxe geschenken. Het is een zielige vertoning. Je moet eigenlijk medelijden met haar hebben. Ze lijdt vast aan een minderwaardigheidscomplex.'

De oudste bediende Udin heeft een grappig gezicht. Hij is niet in Jakarta opgegroeid maar komt uit een arme bergstreek. Hij heeft altijd een goed humeur en is soms net een clown. Het beeld van het grote televisiescherm in de livingroom valt steeds weg. Udin frommelt wat aan de draden van de installatie. Het beeld is weer terug. Als Udin wegloopt, is het beeld verdwenen. Dit herhaalt zich een aantal malen. Ik zeg tegen Udin dat hij moet blijven zitten. Dan blijft het beeld goed. *Guna guna.* Hij lacht weer breeduit.

Het journaal van Global TV toont groepjes fanatieke islamisten, ze dragen lange witte gewaden en wit gehaakte *peci.* Ze zijn bewapend met bamboestokken, krissen en zelfs met pijl en boog, en rijden op motoren door de straten. Wegens de vastenmaand willen ze dat de bars en nachtclubs in het *red-light district* Kalijodo in West-Jakarta worden gesloten.

Dit zijn geen spontane maar gearrangeerde acties die worden aangestuurd door enkele hoge legerofficieren en conservatieve politici. Op de onrustige journaalbeelden zien we rennende en gewonde leden van de islamitische knokploegen. Voor het eerst worden ze bevochten door de lokale inwoners. De burgemeester van Jakarta heeft ook de politie opdracht gegeven om deze heetgebakerde types aan te pakken. Politieagenten lossen waarschuwingsschoten in de lucht en arresteren de radicale moslims. In het verleden keken burgers en politieagenten de andere kant uit terwijl nachtclubs, bars en restaurants werden vernield. Dat lijkt nu te zijn veranderd.

Udin loopt weg maar het beeld blijft goed. Even later wordt een grote kartonnen doos afgeleverd. Daarin bevindt zich een bijna twee meter breed televisiescherm. Het nieuwe apparaat wordt door drie mannen geïnstalleerd. Dewi tekent de papieren. De oude televisie functioneerde volgens haar niet zo goed meer. Ze geeft mij de afstandsbediening. Er zijn meer dan zestig kanalen. Chinese televisiestations tonen vechtfilms met mooie natuurbeelden en een mysterieuze oosterse sfeer. De Indonesische soaps worden gedomineerd door het eeuwige gehuil en geschreeuw. Het late journaal van SCTV toont hoe politiemensen in het hele land prostituees hebben opgepakt. Ze mogen geen klanten meer ontvangen, want tijdens de ramadan is prostitutie verboden en zijn nachtclubs, karaokebars en biljartzalen gesloten. Er mag ook geen alcohol worden geschonken. Iedereen moet zich aan de islamitische voorschriften houden. Deze landelijke politionele aanpak kan vooral worden beschouwd als een concessie aan de sterk opkomende conservatieve islam. Slechts een paar cocktailbars in vijfsterrenhotels in Jakarta zijn nog geopend.

Rustig drink ik nog een grote koude fles Bintang leeg. Dan zoek ik mijn slaapkamer op. De bijna geruisloze airconditioning staat op achttien graden en ik val direct in slaap. Midden in de nacht klinken er enorme dreunen, alsof er dichtbij een kanon wordt afgeschoten. Er zijn geen sirenes te horen. Ik blijf hangen in een halfslaap en onrustige droombeelden flitsen voorbij. Op het vroege televisiejournaal wordt gezegd dat brandende meteorieten, zo groot als kokosnoten, zijn neergekomen in de *suburbs* van Groot-Jakarta. Er was even lichte paniek ontstaan.

's Morgens komen de *pengasuhs* met de tweeling uit de kinderkamers, die zich op de eerste verdieping bevinden en uitpuilen met speelgoed, poppen, teddybeertjes en andere knuffelbeesten. De tweelingzusjes volgen sinds kort balletles en dragen bijna doorschijnende witte ballerinapakjes. Op hun blote voeten dansen ze op de marmeren vloer. Als kleine prinsesjes springen, rennen en lopen ze schaterlachend door de grote villa. Op dat moment is op televisie het programma *Bugil* te zien. Dat is afgeleid van *Bulé Gila* letterlijk: gekke blanke. Twee *bulés*, ze verstaan nauwelijks Bahasa Indonesia, houden een wedstrijd: ze moeten een *becak* berijden of kranten en sigaretten op straat verkopen. De Europeanen of Australiërs staan met een tas vol sigaretten bij een stoplicht en roepen tegen de autobestuurders: 'Rokok, rokok.' Of ze moeten saté verkopen in een stalletje langs de weg. De Indonesiërs kijken nogal verbaasd en soms begrijpen ze niet waar het over gaat. Een jury bestaande uit een echte becak-rijder, een kranten- en een satéverkoper mag dan bepalen wie de winnaar is geworden. Er wordt vooral veel gelachen.

Bekende jonge televisiesterren en persoonlijkheden worden en bloc *hadji* of *hadja*. Het is erg in de mode om naar Mekka te gaan. Normaal zien deze mensen er sexy uit maar tijdens de ramadan gaan ze traditioneel gekleed. De televisie toont hun voorbereidingen voor de pelgrimsreis naar Saoedi-Arabië en de vips ventileren heel serieus hun religieuze overtuiging: ze hopen dat ze herboren worden in Mekka en dat hun zonden worden vergeven.

Lativa heeft de hele familie, inclusief de vrouw en zoon van de overleden Guntur, en een aantal bedienden, een geheel verzorgde reis naar een vijfsterrenhotel in Mekka aangeboden. In de heilige stad werd het gezelschap geconfronteerd met de passie en overgave van een opgezweepte menigte. Na deze spirituele zoektocht zijn ze allemaal hadji of hadja geworden.

Als kind had Lativa altijd een rozenkransje bij haar bed hangen. Dewi, Nana en Guntur bezochten katholieke scholen. Hun vader Amir heeft ze geen echt islamitische opvoeding gegeven; hij was zelf westers gevormd. *Ibu* Lily is van huis uit protestant, maar bemoeide zich ook niet met geloofskwesties. Vervolgens hebben de kinderen hun geloof aangepast aan dat van hun partners. Zo werd Lativa islamitisch toen ze trouwde met Diman. Ook Guntur werd moslim toen hij trouwde met zijn tweede islamitische vrouw Inah. Zijn oudste zuster Nana ging zich zelfs serieus met de islam bezighouden; ze heeft de Indonesische vertaling van de Koran gelezen en houdt zich aan de vastenregels. Zijn jongste zuster Dewi kent weliswaar een aantal gebeden en spreuken uit haar hoofd, maar ontbijt gewoon overdag tijdens de ramadan, de vastentijd. Ze dragen geen *jilbab* op hun werk of straat. Alleen tijdens *selamatans* dragen ze uit respect losjes een *slendang* over het hoofd.

Lily zegt kritisch: 'Die "witte" hadja's leven niet altijd volgens de islamitische regels.'

Hallo Bandung

Ibu Lily verlangt soms naar het trage ritme van het vroegere Bandung. Het is geen weemoed naar de koloniale tijd, want die heeft ze niet gekend, maar eerder een gevoel iets verloren te hebben. De chauffeur neuriet zachtjes het oude liedje 'Hallo-hallo Bandung, ibukota Periangan'. We rijden door wijken met vervallen vooroorlogse villa's en onverzorgde tuinen met verwilderde hagen. De koloniale geschiedenis van de stad en zijn voormalige inwoners is van deze afbrokkelende gebouwen af te lezen. Een en al vergane glorie. Ze tonen de culturele breuk van het hedendaagse Indonesië met het oude Indië. Koloniale woonhuizen zijn nu omgebouwd tot advocaten- en notariskantoren, dokterspraktijken, opleidingsinstituten en restaurants. Overal staan *warungs*, rommelige winkeltjes langs de weg. De betonnen afvoergoten zijn verstopt met afval. In de lanen bevinden zich nog de oude, statige bomen. Het autoverkeer is nu alom aanwezig. Bij de stoplichten bedelen moeders met kleine kinderen, spelen jongens een deuntje op een gitaar en verkopen mannen stadskaarten en kranten. Grote billboards domineren het straatbeeld: een reclame voor Sunsilkhaarshampoo wordt aangeprezen door mooie Indonesische meisjes met lang, glanzend zwart haar.

Haar villa is aan de buitenkant opnieuw witgeverfd. Voor het huishouden heeft ze een nieuwe hulp Komala, een veertigjarige kleine, pezige vrouw uit de kampong aan de overkant van de heuvel. Ze draagt een witte hoofddoek, die is versierd met het bekende Amerikaanse cartoonfiguurtje Sweeny. Op haar donkerblauwe T-shirt is 'Samsung' en '5.7 km fun run' in witte letters afgedrukt. Komala loopt blootsvoets over de marmeren vloer, die ze elke dag dweilt.

'Ze is vlijtig en gewillig. Ook vergeetachtig. Je moet alles steeds blijven herhalen.'

Soms roept Lily: 'Lap lap.' Ze bedoelt dan dat Komala iets moet schoonmaken.

Na de vastenmaand stelt Lily, zoals gebruikelijk, voor de huishoudhulp een pakket met etenswaren en snoepgoed samen. Op de islamitische feestdag Idul Fitri geeft ze haar dit presentje met een extra maandloon. In diezelfde week vertrekt een enorm aantal mensen uit de grote steden naar familie op het platteland. Deze uittocht staat bekend als *mudik*. Er is geen vakantiespreiding. In een korte tijd gaan miljoenen Indonesiërs, ondanks de reiskosten en de enorme drukte, terug naar hun geboorteplaats of kampong op Java en daarbuiten. De hereniging met familieleden en vrienden is heel belangrijk en geldt als een sociale plicht. Eindelijk kunnen de overige inwoners van Jakarta rustig doorrijden. Er zijn geen files meer. Even haalt de hoofdstad diep adem: miljoenen stadsbewoners zijn op een korte vakantie.

Na Idul Fitri begint het nieuwe islamitische jaar.

Lily is gewend om veel alleen te zijn. Er moet wel altijd een radio of televisie in de kamer aanstaan. Ze wil niet op zichzelf worden teruggeworpen. Haar gedachten gaan dan ronddolen. Het wordt een brei van herinneringen aan mensen en gebeurtenissen. Soms is ze er bang voor. Ze probeert de chaos in haar hoofd te beheersen en haar gedachten uit te schakelen. Het verleden moet worden verdrongen anders krijgen emoties de overhand.

Ze is vooral gefascineerd door de Oprah Winfrey Show en de open wijze waarop in het programma menselijke relaties en seksualiteit aan bod komen. In Indonesië is dat ondenkbaar. Ze kijkt ook veel naar *sinetrons*, de populaire Indonesische soaps. De laatste tijd zijn ze religieuzer geworden. Meestal begint en eindigt een dergelijke sinetron met een korte toespraak van een *hadji*. Deze islamitische geestelijke zegt bijvoorbeeld: 'Iemand die slecht leeft en slechte dingen doet, zal niet naar de hemel gaan.' Het is bedoeld als een waarschuwing aan de miljoenen televisiekijkers in Indonesië.

In sinetrons gebeuren onwerkelijke dingen. Zo zijn er lijken te zien die het gedolven graf niet in kunnen. Plotseling zijn ze heel zwaar geworden, waardoor ze niet kunnen worden gedragen. Of het open graf is helemaal vol water gelopen. Lichamen die al in het graf liggen, beginnen weer tot leven te komen of gaan spontaan bloeden. 's Nachts staan lijken, die in witte doeken zijn gewikkeld, weer op en gaan lopen. Er zijn zwevende geesten met vervormde stemmen, geel oplichtende of uitpuilende, bloeddoorlopen ogen. Meestal lopen ze dwars door muren heen en af en toe komen ze uit de lucht vallen.

'Het is eigenlijk horror. Het maakt de gewone mensen in de kampong, die veel naar deze populaire soaps kijken, bang en houdt ze onwetend', zegt Lily.

In een andere religieuze soap loopt een frêle, meisjesachtige vrouw in haar witte jurk door een bos. Plotseling komt een vage spookverschijning tevoorschijn die de blijkbaar 'zondige' vrouw probeert te wurgen. Ze knippert nog met haar ogen en valt flauw. Vervolgens komt er een hadji aangelopen die tegen haar zegt: 'Vraag om vergiffenis.'

Ze gehoorzaamt en zegt: 'Allah vergeef mij.' Daarna gaat ze alsnog dood aan een hartaanval.

Opgelucht zegt de hadji: 'Haar ziel is gered. Als je berouw toont is Allah altijd barmhartig.'

Het gebruik van geesten is animistisch. De ouderwetse *guna guna* wordt in deze soaps veelvuldig toegepast. Een mengeling van animisme en islam is populair, omdat dit aansluit bij de denkwereld van de kampongmensen. De islamitische boodschap is dat de Koran, waaruit vaak lichtgevende stralen komen, je altijd beschermt tegen demonen.

Onder druk van de Majelis Ulama Indonesia (MUI) een islamitische organisatie, zijn deze sinetrons van de televisie gehaald. Ze zijn zelfs verboden door de regering. De huidige soaps tonen vooral veel close-ups van huilende 'talkings heads' die lange, saaie dialogen houden.

Een ander populair televisieprogramma is *Bedah Rumah*, letterlijk een 'huis renoveren'. De eerste beelden tonen een vervallen kamponghuis. Het dak is lek. De keuken ziet er klein uit. Er staat een zwart komfoor. Badkamer en waterleiding ontbreken geheel. Achter het huis bevinden zich een put en toilet. De bewoners van het huis zijn een moeder en vier kinderen. De vrouw heeft haar man verloren en probeert te overleven met het verkopen van eigengebakken koekjes.

De presentator zegt dat niet het televisiestation maar Allah, zijn goedheid is grenzeloos, haar heeft uitverkoren: werklieden zullen in een etmaal haar oude huis renoveren en van een nieuwe inventaris voorzien. In die tussentijd zal de familie logeren in een luxehotel in Jakarta en ze worden met een auto naar de hoofdstad gereden. In de hotelkamer aangekomen kijkt de familie naar een televisie-uitzending van het avondgebed in een moskee. Het is ramadan. Eerst wordt er gebeden waarna in het restaurant van het hotel het diner volgt. De volgende dag zijn de familieleden weer terug en de hele kampong is uitgelopen. Er staat een groot scherm voor de woning. Een grijze doek wordt weggetrokken: het huis is volledig gerenoveerd en onherkenbaar veranderd. De vrouw valt flauw, ze wordt ondersteund en kan even later alsnog de nieuwe behuizing bekijken. Het hele gezin valt op de knieën en dankt Allah voor deze metamorfose. Dit televisieprogramma is razend populair, vooral bij de arme en slecht behuisde Indonesiërs.

Ex-president Habibie is te gast in het programma *Famous to famous* van de televisiezender Metro. Hij heeft een dun grijs snorretje en draagt een zwarte *peci*. Eerst wordt er een kort filmisch overzicht van zijn leven en werk gegeven. Zo blijkt zijn hobby fotografie te zijn. Tijdens het studiogesprek vraagt de interviewer: 'U bent president geweest. Wat wilt u nu nog meer worden?'

Habibie antwoordt: 'Ik ben zeventig en heb geen ambitie om nog een keer president te worden.'

'U verblijft de meeste tijd in Duitsland. Wat hebt u nog met Indonesië?', vraagt de verslaggever.

'Ik ben een kind van het Indonesische volk. Nog elke dag volg ik via internet, televisie en telefoon de ontwikkelingen. Mijn vaderland zou ik graag willen helpen.'

Enkele kijkers vragen via een live telefoonverbinding hoe hij denkt het land uit de economische misère te kunnen halen. Blijkbaar zijn ze het debacle van de vliegtuigindustrie in Bandung vergeten. Habibie knikt vriendelijk. Dan komt er een studievriend uit Duitsland de studio binnenlopen. Er volgt een hartelijke begroeting. Ze praten even over hun gezamenlijke studententijd in Duitsland. Een van hun herinneringen betreft een bioscoopbezoek waarbij de kleine Habibie de toegang werd geweigerd. De portier dacht dat hij nog geen achttien jaar was. Er wordt luid gelachen.

Lily is gecharmeerd van de intelligente *kiai* A.A. Gym, zijn naam is Abdullah Gymnastiar. Hij houdt elke dag op één en soms twee televisiezenders toespraken en leidt discussies over het leven en de islam. Hij is zakenman en bezit een hotel, restaurant, radio- en televisiezender. In zijn eigen drukkerij worden dunne boekjes met zijn preken gedrukt. Ze kosten vijfduizend *rupiah*, nog geen halve euro. A.A. Gym is eenvoudig gebleven ondanks zijn rijkdom. Hij is getrouwd en heeft zeven kinderen. Zijn populariteit is ongekend groot. Moeders komen hun dochters aanbieden. Vrouwen willen zijn tweede of derde echtgenote worden. Hij zingt liederen en maakt cd's. Gym heeft bijna de status van een echte popster. De bebrilde islamgeestelijke heeft een islamitische *pesantren* in Bandung. Hij is duidelijk en gebruikt eenvoudige woorden die je in het hart raken. Het volk begrijpt hem en dat is belangrijk. Daarbij komt dat Gym veel charisma en humor heeft. Vandaag houdt hij op televisie een discussie over geluk en rijkdom. Gym vraagt aan een jongen 'Wat is geluk?' De jongen antwoordt: 'Mijn ouders moeten trots op mij kunnen zijn.'

Lily zegt: 'Indonesië heeft honderden verlichte islamitische denkers als A.A. Gym nodig.'

Het is avond. Uit Lily's radio klinkt 'Blueberry Hill' van Fats Domino. De eerste zin 'I found my thrill on blueberry hill' schalt door de donkere vallei. Op de achtergrond wordt door een voorzanger voortdurend Allah Akbar geroepen. Dit monotone geluid wordt versterkt door luidsprekers van vier omringende moskeeën. Langgerekte gebedsoproepen weergalmen tussen de heuvels. Ze worden steeds indringender. Het begint met het *taraweh*. Na een dag vasten mogen de moslims na zonsondergang drinken en eten. Op volle sterkte wordt gezongen en er worden religieuze verhalen over het leven van Mohammed uitgezonden. Dan is het volkomen stil.

's Nachts om half drie is er een oproep vanuit de moskeeën om wakker te worden. Door de hele vallei weerklinkt in verschillende toonaarden de luide roep van de voorzanger '*saur, saur*'. Nog in het duister moeten de vrouwen opstaan en beginnen met het bereiden van de overvloedige maaltijd. Vóór zonsopgang om 4.30 uur moet dit eten worden genuttigd. In de vroege ochtend tussen vier en vijf uur wordt het *sholat subuh* gehouden. Al die gebedsoproepen midden in de nacht. Het is *hardship*. Ik heb een dubbele portie oordopjes in mijn oren geduwd als wapen tegen strikte geloofsuitingen. Anders kom je hier niet aan de broodnodige nachtrust toe.

Er circuleert het volgende grapje: protestanten zeggen zachtjes Heilige Vader. Hindoes prevelen ohm. Moslims hebben luidsprekers nodig om Allah te bereiken.

Lily vertelt dat in de jaren zeventig door het personeel slechts de eerste drie en laatste drie dagen van de ramadan werd gevast. Dat was de tijd van de ingetogen, zachtaardige islam. Sinds de opmars van de conservatieve islam op Java wordt de ramadan nogal dwingend, op de minuut precies, gevierd.

Een goede vriend, de zwijgzame Dion, neemt Lily en mij met zijn Ford-jeep mee naar zijn landerijen. Hij bezit een groot stuk grond in de bergen buiten Bandung. De landbouwkundig ingenieur is een ontspannen man met lang golvend zwart haar, een snor en klein sikje. Hij ziet er nogal jongensachtig uit maar is al boven de veertig. De ongetrouwde Dion maakt een wat slome indruk.

Lily zegt: 'Ik denk dat hij zo apathisch is omdat hij is bewerkt. *Aduh*.'

Als student aan de Landbouwhogeschool in Salatiga op Midden-Java was hij in de kost bij een oudere getrouwde vrouw met kinderen die er voor haar leeftijd nog jong uitzag. Dion heeft iets met haar gehad. De Javaanse vrouw bereidde zijn maaltijden. Als hij ging baden, bracht ze zijn handdoek en kleding. Ze deed wel onderdanig maar had hem volledig in haar macht. Hij gaat nog elke maand bij haar langs in Salatiga.

We rijden door de oude garnizoensplaats Cimahi met zijn koloniale kazernegebouwen en militaire ziekenhuis uit 1887. Via de plaats Soreang gaan we naar Ciwidey. Op de smalle asfaltweg is nog steeds de ouderwetse *deleman* te zien; passagiers zitten in een wankel tweewielig rijtuig met afdakje dat door één paard wordt voortgetrokken. Voorbij de kampong Pasir Jambu maken we een scherpe bocht waarna een steile afdaling volgt. Over het zanderige, hobbelige pad rijden we nog zeker een kwartier verder met de solide fourwheeldrive, voordat de tuinderij van Dion opdoemt. Het landschap is ruig. In de roodbruine aarde groeien biologische gewassen, zoals wortels, prei, tomaten, aardappelen, uien, bieten en zelfs aardbeien. De uitstekende landbouwgrond, waarop ook een houten woning en bijgebouwtjes staan, ligt op veertienhonderd meter hoogte. De bedrijfsleider is Dominique, een zwager van Dion, een forse man met kort zwart krulhaar. De voormalige zeeman, afkomstig van Flores en praktiserend katholiek, draagt een blauw T-shirt met opschrift 'New York City, zip code 10018'. Om zijn dikke hals hangt een zilveren kruisje. Hij zegt in de bergen één met de natuur te zijn geworden. Op deze afgelegen plek is het heel stil. 's Nachts is het hier erg donker en koel. Hij wil hier wel altijd blijven, maar zijn vrouw woont liever in een buitenwijk van Cimahi in een *gated community* met hefbomen en geüniformeerde bewakers. De grote huizen van de upper class zijn ommuurd en van getraliede ramen of metalen rolluiken voorzien. Zelfs in deze beveiligde woonwijk waagt niemand zich in het donker buiten.

De biologische tuinderij, een coöperatie, is onderverdeeld in vijftig terrassen en wordt bewerkt door mensen uit een nabijgelegen kampong. In een loods worden de groenten schoongemaakt en in plastic verpakt. Daarna worden de dozen met verse groenten per auto naar Bandung en Jakarta gebracht. De biologische producten zijn drie keer zo duur als gewone groenten en slechts de upper class kan zich de aanschaf ervan permitteren. Dions grondgebied grenst enerzijds aan theetuinen en anderzijds aan heuvels met dichte groene wouden. In het diepe dal meandert een snel stromende rivier. Naast zijn huis dat voortdurend wordt geteisterd door fijne stof en irritante insecten staat een *kecubung*-boom met lange, neerhangende, spierwitte kelken. Verderop bevindt zich een grillige avocadoboom. Volgens oude verhalen verbleef in deze boom een vrouwelijke *hantu* die 's nachts over het terrein zwierf.

In deze streek van Gambung worden ook zwart-witgevlekte Hollandse koeien gehouden. Er zijn altijd verse melkproducten. Bij helder weer heb je vanaf de houten balustrade van Dions woning een prachtig uitzicht op Lembang in de verafgelegen bergen. Op de terugweg stoppen we even bij kampong Cibodas. In de verte liggen de Gunung Tilu (drie punten), drie enorme afgeronde bergen die vandaag deels in nevelen zijn gehuld. Op de voorgrond werkt een boer op zijn groene sawa. Wat een ongerept Javaans landschap.

De volgende dag stopt er een taxi bij Lily's huis. Haar vriendin Sylvie, een kleine, gedrongen vrouw met kort zwart haar, loopt naar het hek. Ze draagt een donkergroen hemd met korte mouwen en een vale spijkerbroek, en om haar teen zit een gouden ring. Dit opvallende sieraad heeft ze van haar minnaar gekregen. Ze was verpleegster bij het Borromeusziekenhuis in Bandung, maar ze is nu muziekdocente. Sylvie is lid van de charismatische pinksterbeweging. Vooral protestantse Indonesiërs voelen zich aangetrokken tot deze christelijk fundamentalistische stroming die afkomstig is uit Amerika. De gelovigen houden zich bezig met profetie en bovenwonderlijke genezing, maar ook met het spreken in tongen en het bezweren van demonen. Er is een overeenkomst te bespeuren met het animisme en de *dukun* die boze geesten uitdrijft bij bezeten Indonesiërs. Amerikaanse zendelingen zijn nogal actief in Indonesië. Ze hebben ook zendtijd op de televisie en soms is een langharige corpulente Amerikaanse evangelist te zien, een soort Billy Graham. Hij herhaalt steeds met verheven stem: 'Get up, reach out!' Zijn gesproken teksten worden integraal vertaald door een Indonesische vrouw. Vervolgens begint de man melodieus te zingen. De gemeenschap valt hem spontaan bij. 'Halleluja, Halleluja.'

Een paar dagen geleden wilde de pinksterbeweging op een bovenverdieping van een *shoppingmall* aan de Jalan Pasteur in Bandung een dienst houden. De volgelingen voelden zich tot deze noodoplossing gedwongen omdat ze geen vergunning kregen om een kerk te bouwen. De christenen begonnen met bidden en zingen. Op dat moment dreigden militante moslims, die beweerden dat er geen toestemming was om een kerkdienst te houden, met een bom en ondernamen aktie om de christenen eruit te zetten. De opgeroepen politie keek toe en greep niet in.

Dezelfde dag zie ik op het journaal van Metro TV hoe een christelijke kerkdienst in Makassar op Sulawesi wordt verstoord. Christenen, waarschijnlijk ook leden van de pinksterbeweging, bidden en zingen uit volle borst in de openlucht. Jonge heethoofden, radicale islamisten aan hun outfit te zien, protesteren en gooien stenen. De politie probeert de groepen uit elkaar te houden. Religieuze intolerantie en twisten nemen steeds meer toe.

Het is weekend. Eigenlijk zou ik wel een overdekt mondain winkelcentrum willen bezoeken, want dergelijke centra zijn de belangrijke herkenningspunten van de stad geworden. Sylvie zegt dat het er in het weekend overvol is en nogal stinkt naar ongewassen mensen. In de winkelpassages verlustigen grote gezinnen uit de stadskampongs zich aan de luxe westerse artikelen die ze nooit zullen kunnen aanschaffen. Hier begint de grote onvrede. Volgens *The Jakarta Post* is het bezoeken van een shoppingmall de belangrijkste vrijetijdsbesteding in Indonesië geworden.

Die middag breekt een ongewoon hevige moessonbui los, die een halfuur duurt. De heuvels aan de overkant verdwijnen achter een dik grijs regengordijn. Het wordt zelfs zo donker dat het licht wordt aangedaan. Honderden insecten zoeken een weg vanuit de vochtige tuin naar de felle lichtstralen. Deze onschuldige lichtbruine beestjes bewegen zich onrustig in het rond bij de lamp. Er komen er steeds meer. De woonkamer vult zich met deze insecten.

Ze zitten overal. Op mijn kleine aantekenboekje tel ik er zeker tien. Als ik ze doodsla komt er een witte kleverige substantie uit. Ze vliegen tegen mijn hoofd en zitten op mijn witte kleding.

Lily heeft er genoeg van. Ze pakt een grote spuitbus Raid Max van de Amerikaanse firma Johnson & Son en spuit kwistig de insectenspray in het rond. Het bestrijdingsmiddel heeft een nogal chemische lichte citroengeur. Ik word er bijna duizelig van en ga even de kamer uit. Buiten adem ik diep de frisse lucht in. Het is effectief spul. Binnen tien minuten liggen overal dode insecten. De tjitjaks, kleine hagedisjes, hebben vanavond een feestmaal, maar wel met een chemisch bijsmaakje. We drinken sterke *kopi tubruk*.

Ondertussen bestelt Sylvie een taxi. Na zonsondergang durft ze niet meer auto te rijden. De weg is vol kuilen en gaten. Sylvie zegt dat naar huis lopen in het donker te riskant is.

Het duurt lang voordat de taxi arriveert. We wachten buiten. Er is amper straatverlichting.

Veel gasten van onze buren, die een speciaal ramadandiner hadden georganiseerd, vertrekken met dure jeeps en auto's. Ze spreken geen woord en kijken nogal arrogant onze kant op.

Na Lily's scheiding vestigde ze zich in een kleine villa aan de rand van de Bandungse buitenwijk Ciumbuleuit, die een panoramisch uitzicht op het omringende berglandschap had. Ze woonde daar alleen. Soms bleef de bediende slapen in een nabijgelegen vertrek. Haar woning had nog geen ijzeren hekwerk en rolluiken. 's Avonds om zes uur als het donker werd, sloot ze zelf alles af. Op een nacht hadden insluipers het grote raam aan de voorkant er voorzichtig uitgehaald. Volgens Lily was *sirip* toegepast: je wordt verdoofd, hoort dan alles, maar je kunt niets doen. Inderdaad had ze wel de inbrekers, die met haar spullen sjouwden, door haar huis horen lopen. Maar ze kon niet wakker worden of zich zelfs maar bewegen. Roerloos lag ze in haar bed. Ondertussen werd haar hele huis leeggehaald. Ze hadden alles meegenomen: de antieke klok, televisie, beeldjes, bijouterieën en haar fragiele tropische schelpencollectie. Voor de deur was een pakketje met nasi in pisangbladeren en een doosje met amuletten achtergelaten. Een onbegrijpelijke symbolische daad. Buurtbewoners hadden gezien dat haar gordijnen naar buiten waaiden. Ze waren binnengekomen en hadden Lily geroepen. Heel langzaam ontwaakte ze uit haar verdoving. De politie volgde met honden het spoor van de dieven, maar het liep dood in de dichte jungle van de sterk hellende heuvels achter haar huis. Ze voelde zich kwetsbaar. Na een aantal inbraken had ze zwaar getraliede vensters en metalen rolluiken laten aanbrengen. Er werd ook een alarminstallatie met ultraviolette stralen geïnstalleerd. De politie had haar nog geadviseerd een vuurwapen aan te schaffen. Het leek haar echter geen goed idee.

Op een dag hoorde ze een vreemd gesis in de woonkamer. Een felgroen en geel getekende slang van bijna een meter schuifelde geruisloos over de stenen vloer. Resoluut pakte ze de metalen schoffel uit de tuin en verbrijzelde de slangenkop. Beneden in de dichtbegroeide vallei, eigenlijk een stuk jungle, wemelde het van de slangen. Ze kropen langzaam omhoog naar haar huis dat zich aan de rand van de heuvel bevond. Op een andere keer lag er een opgerolde slang bewegingsloos op de gehaakte sprei van haar bed. Er moet zich in haar tuin een slangennest hebben bevonden, want eens kronkelden er kleine slangetjes door de kamers. Ze pakte de *sapu lidi* en veegde ze het huis uit.

Australische Helen

Jarenlang wonen Lily en Helen in dezelfde straat maar ze zijn elkaar niet eerder tegengekomen. Ze hebben wel via anderen over elkaar gehoord. Iedereen is hier achter hoge muren opgesloten. De Australische Helen is getrouwd met een Indonesische industrieel van Chinese afkomst. Ze heeft een kortgeknipt peper-en-zoutkleurig kapsel en draagt een zwarte zijden blouse met zilveren bladmotiefjes. Ze maakt een intelligente en alerte indruk. 'Spy, spy', zegt Lily met een vage glimlach. Blijkbaar vertrouwt ze haar niet helemaal.

Helen vindt het jammer dat ze geen Nederlands kan lezen. Volgens haar zijn veel interessante boeken over de koloniale en postkoloniale geschiedenis van Indonesië in het Nederlands verschenen. De publicaties worden meestal niet in het Engels vertaald. Ze woont al vanaf het begin van de jaren zeventig in Bandung en is lid van Bandung Heritage Society, een club die zich bezighoudt met geschiedenis en renovatie van de oude koloniale gebouwen in Bandung. Zelf woont ze in de villawijk Ciumbuleuit. Vlak bij haar huis staan twee landhuizen van puissant rijke Indonesiërs van Chinese afkomst. Op de hoge muren die de huizen omringen zijn scherpe metalen punten bevestigd om indringers tegen te houden. Er is een verborgen *safehouse*, een schuilkelder. Via een gangenstelsel onder de grond zouden de panden met elkaar zijn verbonden. Chinezen hebben geleerd van de gruwelijke pogroms in de turbulente Indonesische geschiedenis. In elk geval zijn ze op alles voorbereid.

Schuin tegenover de oude Hollandse club staat een opzichtig nieuw paleis van een schatrijke Pakistaan die financieel adviseur is van Tommy Soeharto. De jongste zoon van ex-president Soeharto was tot vijftien jaar gevangenisstraf veroordeeld, omdat hij het brein was achter de moord op een rechter van het Hooggerechtshof die hem wegens corruptie had veroordeeld.

Na ruim vier jaar werd Soeharto junior vervroegd vrijgelaten uit de gevangenis op het eiland Nusa Kambangan voor de zuidkust van Java. De enorme villa, in neo- en fantasiestijlen, detoneert met de rustieke omgeving. Het is een mengeling van een Chinese tempel, een moskee en een bunker. Af en toe lopen er slanke vrouwen in kleurrijke gewaden over het grote terras, maar meestal maakt de villa een uitgestorven indruk.

Voor het huis van Helen bevindt zich een wachthokje met een beveiligingsman en enkele kleine *warungs*. Als het hoge hek opengaat, wordt er een grote tropische tuin met een riant buitenverblijf zichtbaar. Helen verwacht ons, ze staat bij de voordeur en zwaait. We rijden samen langzaam in de avondspits over de drukke Jalan Ciumbuleuit. Helen wijst naar een indrukwekkende *waringin* die gespaard is gebleven. Een projectontwikkelaar wilde op de plek van de boom een hotel bouwen. Hij liet spirituele mensen uit Banten, een streek in West-Java overkomen, die lange vlechten van zwart en grijs haar aan de brede takken hingen. Ze hebben een paar dagen en nachten rondom de heilige boom gezeten en gebeden en zeiden vervolgens tegen de ongeduldige projectontwikkelaar: 'Je mag die machtige boom omhakken maar de geesten eisen wel tien mensenhoofden.'

Helen vertelt nog een verhaal van een andere reusachtige waringin die stond op de plek van de huidige katholieke universiteit aan de Jalan

Ciumbuleuit. Enkele jaren geleden werden eerst de takken afgehakt en er bleef steeds minder van de boom over. Tot slot hebben ze de omvangrijke luchtwortels aangepakt. Toen stierf de boom en kon de universiteit worden gebouwd.

We rijden door de bergen naar de plaats Lembang en gaan op bezoek bij de astronoom en historicus Bambang, die als een verheven god op een afgelegen bergtop woont waar hij een grandioos uitzicht heeft op de stad Bandung en de vulkaan Tangkuban Prahu. Ik heb hem twee jaar eerder al eens ontmoet. In zijn grote huis uit 1929 is de oude koloniale sfeer nog bewaard gebleven. Er zijn geen lelijke betonnen muren, tralies of rolluiken aangebracht. In de donkere avond straalt diffuus licht van de schemerlampen door de kleine glazen ruiten van zijn ramen ongehinderd naar buiten. Heel rustgevend. Verder is deze afgelegen plek 's nachts aardedonker. In de verte twinkelen de lichtjes van Bandung. Zijn huis staat vol boeken over astronomie en geschiedenis. In zijn werkkamer liggen stapels mappen en papieren. De begroeting is hartelijk.

We dineren aan een grote tafel waarboven een ouderwetse schermerlamp hangt die een zacht licht verspreidt. Bambang haalt herinneringen op aan de jaren vijftig toen hij als jongen op de nog rustige Lembangweg fietste. In de schemer zag hij altijd op de veranda van een koloniaal huis een echtpaar zitten: een blanke man die een opengeslagen krant las en een blanke vrouw die breide of herstelwerk deed. Een staande schemerlamp straalde een omfloerst geel licht uit. Dit tafereel maakte op hem een vredelievende bijna weemoedige indruk. Halverwege de jaren vijftig waren deze mensen plotsklaps verdwenen. Dit symboliseerde voor hem het einde van de koloniale tijd.

Bambang vertelt dat onlangs de slapende vulkaan Tangkuban Prahu (2084 meter) weer actief is geworden. De lava was over de zuidelijke helling richting Subang gestroomd en de bevolking op de helling, zoals de kampongs bij Tjiater (Ciater), werd voor enkele nachten geëvacueerd. Tot een echte uitbarsting was het nog niet gekomen, maar er stegen wel giftige gaswolken op uit de vulkaankrater. Drie aardbevingen met een kracht van 5.6 op de schaal van Richter hadden West-Java getroffen. De trillingen werden gevoeld tot in de Jakarta en Bandung. Zelfs de Anak Krakatau (het kind van de Krakatau) in de Sunda Straat leek onrustig. We spreken over de catastrofale ontploffing van de Krakatau in augustus 1883. Het eiland met de vulkaan had zichzelf destijds opgeblazen. De tropenzon raakte door grote wolken van fijne, grijze stof en as verduisterd. Fundamentalistische moslims beschouwden die natuurramp als een aankondiging van de dag des oordeels. Een duidelijk teken voor de aanvang van een heilige oorlog tegen de *kafirs*. Maar die opstand in de zomer van 1888 in de residentie Bantam op West-Java werd neergeslagen. De in witte gewaden geklede strijders met zwaarden en lansen dachten tevergeefs dat hun vroomheid hen zou beschermen tegen de kogels van het koloniale leger.

Helens man bezit een textielfabriek in Zuid-Bandung, waar meer dan drieduizend arbeiders werken. De prijs van ruwe katoen en de kosten voor transport zijn sterk gestegen. Zo zijn recent in Indonesië de olieprijzen meer dan verdubbeld. Dit veroorzaakte een algemene prijsstijging en een daling van het besteedbare inkomen van de gemiddelde Indonesiër. Bij dit alles komt nog eens de concurrentie van goedkoop textiel uit China. Binnenkort zullen ze gedwongen worden om textielarbeiders te ontslaan. Iets wat trouwens voor de hele textielindustrie op West-Java geldt.

'Globalisering heeft zo zijn eigen desastreuze fall-out', zegt Helen mistroostig. Het jaar daarvoor stond hun fabriek door de overvloedige moesson plotseling meer dan een meter onder water. Een deel van de textielvoorraad en de machines waren aangetast door het stinkende, verontreinigende water. De Cikapundung-rivier moet nodig worden uitgediept zodat het overvloedige regenwater beter kan doorstromen. Het regenwater loopt altijd weg van het hooggelegen Noord-Bandung naar het laaggelegen zuidelijke stadsdeel, dat voor een deel is gebouwd op drassige sawagronden. Japan heeft financiële middelen aangeboden om de afwatering te verbeteren. Het lokale bestuur verzuimde om nieuwe plannen uit te werken.

Dit jaar is de rivier slechts minimaal schoongemaakt. Nu wil de verzekeringsmaatschappij hun textielfabriek niet meer tegen waterschade verzekeren. De moesson is zojuist begonnen. Helen kijkt somber en zegt: 'Ik houd mijn hart vast.'

Dutch Dolly

Een paar dagen later stopt Helens nieuwe zilverkleurige suv voor de deur. Ze vraagt of Lily en ik meegaan naar de stad. Het stortregent. De straten staan half onder water en zijn amper verlicht. Donker gecoate ramen zijn erg lastig als het buiten zo duister is. Ze moet het zijraam opendoen om de gaten in de weg, de voetgangers en motorrijders te kunnen zien. We luisteren naar klassieke muziek en rijden de Jalan Ciumbuleuit af en verder over de Jalan Cihampelas, een drukke weg met aan beide zijden winkelpanden, eethuisjes en *warungs*.

In de koloniale tijd was de linkerkant van de Cihampelas nog onbebouwd terrein. Het gebied was integraal onderdeel van het oude Jubileumpark en de Dierentuin. Nu is deze strook langs de oevers van de diepliggende Cikapundung-rivier volgebouwd met gammele krotten van golfplaten, hout en karton. Het bruine modderige water stinkt en er drijft allerlei afval. In de regentijd kan de rivier onverwachts snel stijgen. De bouwvallen worden dan door het snelstromende rivierwater meegesleurd. Een deel van deze bebouwing is onlangs ontruimd en afgebroken. Ze heeft plaats moeten maken voor een mondaine *shoppingmall* van een aantal verdiepingen. Dit winkelcentrum met veel restaurants, bars en terrassen is nog geen jaar oud. Bij de ingang worden auto's door beveiligingsmensen gecontroleerd. Helen parkeert de grote suv in de betonnen open parkeergarage. Met de lift bereiken we een open winkelpromenade. We lopen naar een restaurant waar we Dutch Dolly ontmoeten, een zestigjarige Hollandse vrouw met een permanent dat stijf staat van de haarlak. Haar Indonesische echtgenoot Jimmy is een gepensioneerde geoloog. Hij had een Zeeuwse grootvader en inheemse grootmoeder. Tijdens de Japanse inval in 1942 is zijn moeder met drie kleine kinderen en een bediende het binnenland in gevlucht. Jimmy was toen pas vier jaar oud. Er werd 's nachts gelopen om de Japanse patrouilles en vliegtuigen te ontwijken. Het was volle maan. Overdag sliepen ze in kleine bamboehutjes die in de natte rijstvelden stonden. Op een gegeven moment zagen ze tengere Aziatische mannen met lange geweren. Het waren Japanse soldaten.

'Het leek wel of ze op houten fietsen reden', zegt Jimmy.

Het KNIL had de bruggen opgeblazen en ze konden niet verder. Het jonge gezin moest weer terug naar huis lopen. De bediende droeg de baby. Volledig uitgeput kwamen ze thuis.

Dolly en Jimmy wonen in de buurt van het oude theehuis aan de voormalige Dagoweg met een fascinerend uitzicht op Bandung. Zij heeft een kleine kunstgalerie in het stadscentrum. Door de economische recessie en terreurdreiging stagneert de kunstverkoop. De Bali-bommen hebben ook het toerisme op West-Java tot bijna nul gereduceerd.

Helen en Dolly arriveerden allebei begin jaren zeventig in Bandung. Ze trouwden beiden met een Indonesische man, maar ze zijn geen Indonesisch staatsburger geworden en hebben hun eigen paspoort behouden. Er is altijd een vluchtweg naar het land van herkomst mogelijk. Eigenlijk zijn ze nog steeds expats die regelmatig hun moederland bezoeken. Soms hebben ze zelfs last van heimwee.

'Enkele jaren geleden had ik precies vijfentwintig jaar in Indonesië en vijfentwintig jaar in Australië gewoond. Op dat moment kon ik niet kiezen waar ik me definitief wilde vestigen', zegt Helen.

Haar man werkt in Bandung. Zij leidt hier een luxeleven. En nog altijd kan ze niet beslissen.

Dolly vraagt aan *ibu* Lily: 'Jij woont hier al zo lang. Heb jij geen last van heimwee?'

'Nee, ik heb destijds duidelijk gekozen voor Indonesië. Ruim vijftig jaar geleden heb ik heel bewust het Indonesische staatsburgerschap aangevraagd. Ik ben nooit islamitisch geworden en houd ook niet van gamelanmuziek. Maar ik voel me al heel lang Indonesisch. Hier is mijn huis en hier wonen mijn kinderen, kleinkinderen en achterkleinkinderen. Hier ligt mijn hart.'

Dolly vraagt: 'Ga je nog wel eens naar Nederland?'

'Heel soms. Ik heb daar nog familie en vrienden.'

Dolly en Helen kennen elkaar goed. Hun kinderen zijn in Bandung opgegroeid. Ze geven geld aan arme mensen en verzamelen tweedehandskleding. Maar in de Indonesische 'ziel' en gemeenschap hebben ze zich niet verdiept. Al heel lang wonen ze hier en nog steeds begrijpen ze weinig van het Indonesische leven.

'Ze blijven expats. Ik kan ze soms gewoon niet volgen', zegt Lily.

Zij ging het grootste deel van haar leven om met Indonesiërs en spreekt vloeiend Bahasa. Haar nakomelingen zijn en voelen zich Indonesisch. En Lily wil in Indonesische aarde worden begraven. Haar graf op een christelijke begraafplaats heeft ze al geregeld.

Dolly vertelt dat haar boeken, door de hoge luchtvochtigheid, rigoureus worden aangetast. Een paar keer per jaar legt ze haar boeken in de zon te drogen. Waardevolle boekencollecties verpulveren niet alleen door vocht en smog maar vooral door historische onverschilligheid. De auteur Joke Moeliono had een grote collectie boeken over het oude Indië die na zijn dood tijdelijk in een tuinpaviljoen was ondergebracht. Door de tropische vochtigheid waren deze boeken ernstig aangetast door schimmels en minuscule insecten hadden zich een weg door het zachte papier gevreten.

'Het bood een treurige aanblik', zegt Dolly.

De overleden Bandungse historicus en schrijver Haryoto Kunto heeft een collectie van achtduizend boeken over tempo doeloe en het oude Bandung nagelaten. Studenten houden zich bezig met het inventariseren van deze collectie. De lokale overheid had toegezegd dat deze belangrijke historische boekenverzameling zou worden ondergebracht in een bibliotheek. Maar de collectie bevindt zich nog steeds in het oude woonhuis.

Het gesprek gaat over op het terrorisme in Indonesië. Volgens Helen zijn bepaalde onderdelen van het Indonesische leger hierbij betrokken. Sommige beroepsmilitairen manipuleren en werken samen met radicale moslimterroristen. Ze hebben er belang bij om angst onder de bevolking te zaaien. Ook gaan er stemmen op binnen het leger om de strijd tegen de terreur op te voeren. In het post-Soehartotijdperk hebben de militaire instanties veel macht moeten inleveren; nu zouden ze opnieuw invloed kunnen verwerven en vaste grip kunnen krijgen op de Indonesische samenleving.

Het is half elf. We verlaten het winkelcentrum. Bij de uitgang staat op een groot bord met lichtgevend opschrift 'See you again'. In de donkere straat van de Bandungse buitenwijk verlicht een walmende olielamp het huisje van de beveiligingsman. Helens man en de buren hebben hem ingehuurd om 's nachts toezicht te houden. De half slaperige bewaker in zijn versleten kakiuniform heft traag zijn hand op.

De volgende ochtend rijden Lily en ik naar Zuid-Bandung. Voor de deur van een kleine bungalow staat een oude beige landrover. De bejaarde maar actieve Pak Soewarno draagt een lichtbruin hemd met korte mouwen en een donkerbruine strakke broek met leren riem. Zijn bruine gezicht is een beetje vierkant. Soewarno is in 1933 geboren. Zijn vrouw, die moeilijk loopt, heeft een lichtblauwe *jilbab* en een lange, blauwe, rok aan. Een strook aan de onderkant is bewerkt met rode en blauwe motieven.

Het zijn devote moslims. We nemen plaats in het kleine, benauwde gastenverblijf. Aan de muur hangen foto's van Soewarno en zijn vrouw bij het heiligdom in Mekka. Op een andere foto draagt hij officiële kleding en een rij medailles op zijn borst; naast hem is president Soekarno afgebeeld. Soewarno praat in het Nederlands dat hij als kind op school heeft geleerd.

Hij haalt herinneringen op aan zijn leven in de koloniale tijd en tijdens de Indonesische revolutie. Hij geeft mij zijn gesigneerde boek uit 2002 met de titel *Saya Pilih Mengungsi* (Ik koos voor de uittocht). Het boek gaat over de exodus van de Indonesische bevolking en de hevige strijd in 1946 in Bandung, dat volgens de auteur was veranderd in een oceaan van vuur (*Bandung Lautan Api*) Als vijftienjarige jongen nam hij op zijn sandalen, in korte broek en bamboespeer deel aan de guerrillastrijd. Toen de Engelsen in maart 1946 Zuid-Bandung innamen, vertrok hij met zijn militaire eenheid naar een kampong in de omliggende bergen. 's Nachts voerden ze aanvallen uit op de belegerde stad. Hollandse konvooien werden op de bochtige bergweg van Bandung naar Lembang bestookt door Indonesische *pemuda's*.

In 1948/1949 maakte hij deel uit van de Mobiele Brigade te Yogyakarta. Het Indonesische leger wilde tonen dat het nog altijd sterk en verenigd was. Op de vroege ochtend van 1 maart 1949 werd het door de Nederlanders bezette Yogyakarta aangevallen. De jonge Soewarno was betrokken bij de bestorming van het Merdeka Hotel (het voormalige Grand Hotel Djokja) waar de Hollandse generale staf was gestationeerd. De aanval onder leiding van luitenant-kolonel Soeharto, de latere president, werd uiteindelijk door Nederlandse soldaten afgeslagen. De korte bezetting van Yogyakarta deed het buitenland beseffen dat de Republiek Indonesië niet zomaar kon worden weggevaagd.

In de jaren vijftig studeerde Soewarno geologie bij de Natuurhistorische Afdeling van de Leidse Universiteit. Na zijn studie werkte hij bij het Geologisch Museum aan de voormalige Wilhelmina Boulevard in Bandung. Hij vertelt over prehistorische grotten, een vuursteenmijn en menselijke skeletten van dertigduizend jaar oud die zijn gevonden in West-Java. Op Timor heeft hij destijds een onbekend fossiel zeediertje van honderd miljoen jaar oud aangetroffen. Het kreeg de Latijnse naam *Epitauroceras soewarnoi*. Tegenwoordig houdt Soewarno zich vooral bezig met het stimuleren van het ecotoerisme op West-Java.

's Middags ontmoeten we de Indonesisch-Chinese Swan, een jeugdvriendin van Lily's dochters. Ze heeft twee volwassen kinderen. Ze ziet er goed uit, draagt een kobaltblauwe blouse en een witte strakke broek van zijde. Haar haar is heel zorgvuldig in model gebracht. Ze lacht veel. Ook haar man heeft een textielfabriek in Zuid-Bandung. Swan is al jaren bevriend met Helen. Onlangs zijn ze samen naar het kleine, autoloze eiland Kau Lung Seu, befaamd vanwege *Lente-eiland* van de schrijver en scheepsarts Jan Slauerhoff, geweest. Het ligt tegenover de Chinese havenstad Amoy (nu Xiamen). Helens man heeft daar een oud koloniaal landhuis gekocht. Ze toont de foto's. Het huis ziet er vanbuiten authentiek uit, maar vanbinnen is het aangepast aan de moderne tijd. Het uitzicht op het Chinese vasteland en de miljoenenstad is indrukwekkend. De schatrijke Helen gaat elke twee maanden op reis naar het buitenland; meestal China, Australië of Maleisië. Swan heeft een groothandel in textiel, vooral bovenkleding: hemden en blouses. Ze levert aan de detailhandel in de hele archipel. Over de lange Dagoweg in Noord-Bandung rijden we in de richting van de bergen. We passeren het Sheraton en Jayakarta Hotel en het oude koloniale theehuis dat vroeger ver buiten Bandung lag. Het verkeer neemt af, het wordt al rustiger. Bijna aan het eind van de omhooglopende Dagoweg parkeren we de auto bij het Sierra café en lounge, een nieuw groot etablissement op een hoge bergtop met uitzicht op Bandung. Het is nog steeds regentijd en een beetje mistig. Het diner smaakt uitstekend. De hardwerkende Swan zegt dat funshoppen en buitenshuis eten haar hobby's zijn. Tijdens de maaltijd begint in de nabijgelegen moskee een preek die door een versterker wordt rondgebazuind. Swan vertaalt direct de tekst: 'We strijden met de Koran in de hand tegen de onreinen en de ongelovigen.' Ze kijkt me even met een verbaasde, licht bezorgde blik aan.

Vlakbij bevindt zich een nieuwe *gated community*. Het heet Resor Dago Pakar. Bij de ingang klatert een brede waterval die door een bekende Chinese waterbouwkundige is ontworpen. Her en der staan ruime herenhuizen. Soms lijken ze qua stijl op de Villa Isola uit de jaren dertig. Meestal is het een curieuze mengeling van klassieke, islamitische, en fantasiestijlen. Deze nieuwe wijk bevindt zich hoog in de bergen waar de lucht zuiver is; je ademt hier de beste lucht van Bandung in. Rijstvelden worden opgeofferd en arme boeren verjaagd. De elite eigent zich de grond toe om te wonen en te golfen. Slechts af en toe is er nog een mooi stukje sawa met kampong waar te nemen. Lily's kleindochter Lativa heeft hier twee kavels gekocht. We rijden terug naar de buitenwijk Ciumbuleuit. Er is een hevige regenbui losgebarsten.

Het is laat in de middag. Er hangt een donkere wolkenlucht. Over de smalle met grote bomen omzoomde weg wandel ik door de groene villawijk naar het luxueuze Malya Hotel. De avondgeluiden van sjirpende krekels, melodieuze gamelanklanken en islamitische gebedsoproepen versmelten tot een pulserende mix. Lily noemt deze kakofonie van klanken altijd een soort *gado gado*.

Bij de hotelingang lacht de beveiligingsman vriendelijk. In de grote lounge zitten slechts een paar mensen. Vanaf het buitenterras heb je uitzicht op een nabijgelegen heuvel met een dichte jungle. Tientallen zwaluwen fladderen onrustig door de lucht. Het doordringende geluid van de *tongèrets* neemt toe. In de verte hoor ik zachtjes gamelanmuziek. De stortregen kan elk moment losbarsten. Het terras is verlaten. Verderop spreekt een Indonesische man afwisselend in twee *handphones*. Ik bestel een koude Bintang. De jonge serveerster zegt lachend: 'Misschien komt de regen vandaag niet.' Een zachte koele wind blaast door mijn haren. In de diepte ligt een bruingekleurde traag stromende rivier. Verderop in de begroeide heuvels zijn kleine stukken bouwland en verspreid staande kamponghuizen met rode dakpannen zichtbaar. Grijze rookslierten van kleine houtskoolvuurtjes in de kampongs dwarrelen omhoog. Achter dit alles ontvouwt zich een magnifiek berglandschap met in het midden de vulkaan Tangkuban Prahu.

Na een tijdje slenter ik terug. Het is heel rustig. Op straat rijdt een man op een motor voorbij. Hij draagt een T-shirt met het fluorescerende opschrift: 'Do you believe?' Een slanke zwart gesluierde vrouw komt me tegemoet. Ze lijkt een traditionele moslima. Ze kijkt me aan en lacht verleidelijk.

De grote verteller

Lily kent de familie al jaren. Koesoemo is de volle neef van haar ex-man Amir. Hij is goed op de hoogte van de complexe familiegeschiedenis. We rijden naar de elitewijk Kuningan, de Gouden Driehoek van Jakarta. Koesoemo woont hier in een ruime villa. Er staan veel oude bomen in de wijk. Op elke straathoek is een zwart-witgeblokte slagboom geplaatst, die meestal half omhoog staat.

's Avonds zijn de straten afgesloten voor buitenstaanders. In kleine stenen wachthuisjes zitten geüniformeerde bewakers. Na de val van Soeharto en de grootschalige plunderingen in het voorjaar van 1998 in Jakarta is een dergelijke bewaking overal door welvarende stadsbewoners opgezet. 'Ze betalen zelf voor deze dag- en nachtprotectie', legt Koesoemo uit.

Voor de ingang van zijn villa staat een lichte, bronskleurige fourwheeldrive. Koesoemo kan deze omgebouwde Ranger-jeep met verchroomde bumpers en terreinbanden zelf niet verplaatsen en hij moet eerst zijn achttienjarige zoon halen. De verlegen jongen start de glimmende SUV en rijdt er langzaam mee weg. Met deze terreinwagen gaat hij naar de middelbare school en daarna naar McDonald en de Pizza Hut in de villawijk Menteng. Daar ontmoet hij zijn vrienden die dezelfde levensstijl en achtergrond hebben. Het is gebruikelijk om de hele middag in Starbucks door te brengen. Trendy jongelui hangen in de zachte leren fauteuils en praten in hun mobiele telefoon of ze werken achter hun laptop aan de ronde metalen tafeltjes, terwijl serveersters milkshakes en ijsthee rondbrengen. De airconditioning draait op volle toeren. Binnen is de atmosfeer aangenaam. Buiten is de hete lucht verzadigd van de uitlaatgassen.

De villa van de Koesoemo's is ingericht met teakhouten meubilair. Er staan prachtige oude houten Chinese stoelen en bewerkte rozenhouten tafels die afkomstig zijn uit Vietnam. Djatihouten kasten zijn ingelegd met verschillende tropische houtsoorten. Het taaie, helgroene gras in de tuin is strak gemillimeterd. De hoge betonnen muren, een afscheiding met de buitenwereld, zijn geheel bedekt met grillige klimplanten die ook worden gesnoeid. Er staan alleen drie grote bloempotten met bloeiende planten. Het geheel maakt een heel verzorgde indruk. Niets is aan het toeval overgelaten. De natuur is hier volkomen gedresseerd.

Koesoemo's vrouw Siti zegt lachend: 'Ik houd niet van beestjes.'

Op de eerste verdieping bevindt zich de grote bibliotheek van Koesoemo. De tropische vochtigheid tast de omvangrijke boekencollectie aan en daarom worden elk jaar alle kasten uitgeruimd en vervolgens schoongemaakt. De boeken worden door het personeel op de gemillimeterde grasmat in de zon gelegd om goed te drogen. De pagina's van de boeken worden steeds omgeslagen zodat het verzengende zonlicht het papier kan drogen en de bacteriën kan uitschakelen. Dit proces vergt veel tijd en geduld.

Siti spreekt perfect Nederlands dat ze op de Hollandse School heeft geleerd. Ze toont me een oude schoolfoto en vraagt me of ik haar herken. Ik wijs direct het enige Javaanse meisje aan.

'Je bent een kenner', zegt ze.

Ze mijdt de onbarmhartige, tropische zon zoveel mogelijk en wil niet dat haar gelaat verkleurt. Ze heeft een obsessie met het blank zijn en smeert een overdadige laag blekende crème op haar gezicht. Ze lijkt dan blanker maar haar Javaanse gelaatstrekken blijven zichtbaar. Haar jeugd bracht ze door in België waar haar vader ambassadeur van Indonesië was. Met een diplomatiek paspoort bereisde ze heel Europa, waar ze twintig jaar verbleef.

Koesoemo en Amir hebben een gemeenschappelijke grootvader: Raden Nitihardjo, een kleinzoon van de sultan van Yogyakarta. Koesoemo's vader Raden Dardo werd in 1899 geboren. Hij bezocht in Surabaya de HBS en de latere president Soekarno was zijn klasgenoot; ze hebben gedurende een jaar zelfs een schoolbank gedeeld. Die school was een toonbeeld van tolerantie in een koloniale wereld. De middelbare scholieren werden ook geconfronteerd met de Ethische Politiek: de verheffing van de Javaan. Indië zou tot een moderne maatschappij worden gevormd. Op een oude klassenfoto, waarop vijf jongemannen zijn afgebeeld, zit de HBS-leerling Dardo pontificaal in het midden. Het is een jongeman in witte Europese kledij met een parmantig strikje en een krachtige uitstraling. Op deze foto is de fijngebouwde, goeduitziende Soekarno die een Javaanse hoofddoek draagt een bijfiguur, zelfs deels afgesneden. Een medescholier die naast hem zit, legt zijn hand losjes op zijn schouder. De foto is ooit aan de familie Soekarno aangeboden, maar die wilde hem niet hebben. Waarschijnlijk omdat de jonge Soekarno niet in het middelpunt maar in de marge is afgebeeld.

Zoals andere jongemannen uit de bevoorrechte Javaanse aristocratie reisde zijn vader naar Nederland om zijn studie voort te zetten. Eind jaren twintig schreef Raden Dardo zich in voor een studie rechten aan de Leidse Universiteit. In 1934 studeerde hij af als meester in de rechten. Hij zei altijd met een zekere trots: 'Ik ben Leienaar.'

In datzelfde jaar ontmoette Dardo zijn jonge Hollandse vrouw. Ze trouwden voor de burgerlijke stand in Utrecht. Zij was katholiek en hij islamitisch, maar dat bleek geen probleem. Enkele maanden later reisde het echtpaar met zeven grote hutkoffers naar Nederlands-

Indië. Dardo's vrouw dacht dat ze daar niet veel kon aanschaffen en in de koffers vervoerde ze haar hele uitzet: linnen lakens, slopen, wollen dekens, damasten tafelkleden, keukengerei, zilveren bestek en porseleinen serviesgoed. Koesoemo's vader werd benoemd tot rechter in Wonosobo, een klein plaatsje in de bergen van Midden-Java. Hij bezat daar een groot stuk grond met een huis. Later stelde hij een deel van de grond beschikbaar voor de bouw van een katholieke kerk en een tehuis voor doofstomme kinderen. Koesoemo die in 1936 in Wonosobo was geboren, volgde de Europese Lagere School met de Bijbel.

Tijdens de Japanse bezetting en ook in de Bersiaptijd werd op de pasar linnengoed uit zijn moeders uitzet verkocht of geruild voor voedsel. Omdat er een groot gebrek aan textiel was, hoefde de familie geen honger te lijden. Zijn moeder maakte van haar geruite katoenen theedoeken een stel kinderkleren en in 1948 was er niets meer over van haar uitzet. Tijdens de revolutie bevonden ze zich bij een missiepost waar het betrekkelijk veilig was. Een bevriende pater verschafte hen soms zelfs echte Hollandse broden. In het oude nabijgelegen Hotel Dieng had een peloton Nederlandse militairen zich ingekwartierd. Bij de ingang van het hotel was licht veldgeschut opgesteld en de ramen waren gebarricadeerd met zandzakken. Soms brachten de jonge soldaten een bezoek aan zijn Hollandse moeder. Als de guerrilla's kwamen, dan voerde zijn Indonesische vader het woord. Op een avond deed een bende *rampokkers* een aanval op het ouderlijke huis. Ze beschoten de woning en er rolden enkele handgranaten over het dak. Twee granaten ontploften. Drie andere projectielen waren gelukkig niet geëxplodeerd. Zijn vader pakte een geweer en schoot terug. De jonge aanvallers waren niet zo goed getraind en wisten niet raak te schieten. Ze verdwenen geruisloos in de duisternis. Enig tijd later arriveerde een groepje Nederlandse militairen, de stenguns losjes over de schouders, en men informeerde of alles wel in orde was. Ze zagen de talloze kogelgaten in de muren en de granaatscherven die buiten op de grond lagen.

Na de onafhankelijkheid bracht Koesoemo's vader het uiteindelijk tot luitenant-kolonel en hoofdrechter van het Militair Gerechtshof in Jakarta. Koesoemo woonde destijds in de villawijk Menteng en liep elke dag naar het katholieke Canisius College, waar hij les kreeg van de Nederlandse jezuïeten. Hij zat van 1951 tot 1956 op deze middelbare school en is de oudste alumni. Koesoemo kende de jezuïetenpater en docent van het Canisius College, Joop Beek, persoonlijk. De pater was zestig jaar, nog niet grijs en woonde in een seminarie, een klooster aan de Jalan Gunung Sari in de oude stadswijk Senen. Hij was erg goed geïnformeerd over de politieke situatie in Indonesië. In 1956 hadden de communisten bij de eerste algemene verkiezingen goede resultaten geboekt. Over de toenemende macht van de Indonesische communisten zei pater Beek: 'Als die zo verdergaan, zal Indonesië nog worden bezet door Amerika.'

Begin jaren zestig verzorgde de anticommunistische Beek de intellectuele en fysieke training voor uitverkoren Indonesische studenten, die later een grote rol zouden spelen in de regeringspartij Golkar. Deze partij was de steunpilaar van Soeharto, de opvolger van Soekarno. Koesoemo is ervan overtuigd dat de jezuïet Beek een belangrijke informant achter de schermen was, mogelijk een CIA-agent. Er was een geheim verbond van anticommunisten, katholieke jezuïeten en vrome moslims. Beek werd, volgens hem, de grote manipulator van deze anti-Soekarnokrachten.

Na de middelbare school begon Koesoemo met zijn rechtenstudie aan de katholieke Universitas Indonesia in Jakarta. Als jonge student ontmoette hij president Soekarno die een bezoek aan de universiteit bracht. De president stapte uit zijn staatsieauto, liep onverwachts naar hem toe en vroeg: 'Wie ben je?'

'Ik ben Sumo, de zoon van Dardo.'

Soekarno: 'Oh, Dardo. Waar is je vader? Heeft hij nog steeds malaria?'

Zelfs Koesoemo was hiervan niet op de hoogte. Later hoorde hij dat zijn vader al tientallen jaren malariapatiënt was.

Soekarno keek hem nog eens goed aan en zei: 'Waarom heb je geen haren op je hoofd.'

'De ontgroening. Ik ben pas student geworden', antwoordde Koesoemo.

Toen sloeg Soekarno met zijn gebalde vuist op zijn kale hoofd en zei: 'Je moet hard studeren en een goed mens worden.'

In 1960 ging hij als voorzitter van een studentenvereniging op audiëntie in het paleis van de president. Soekarno herkende Koesoemo direct.

Hij vroeg: 'Welk jaar ben jij nu? Hoe gaat het met de studie?'

'Uitstekend, excellentie', zei Koesoemo.

Na zijn studie wordt Koesoemo jurist op een advocatenkantoor. Hij spreekt Nederlands en is goed op de hoogte van de Javaanse cultuur en taal. Hij blijkt erg gesteld op zijn adellijke afkomst en geniet van zijn status. Soms hanteert hij nog oude Javaanse gebruiken. Als zijn vrouwelijke bediende wordt binnengeroepen en hij tegen haar spreekt, hurkt ze op de grond. Ze draagt een zwart uniform dat is afgezet met randjes van kant en een wit kraagje. Het is de bediende niet toegestaan op een stoel of bank plaats te nemen. Volgens de traditie mag ze niet op gelijke hoogte zitten. Er staat een laag houten krukje voor haar om naar de televisie te kijken. Dat is niet meer gebruikelijk in het moderne Indonesië. Verder behandelt hij zijn personeel goed. Zijn vrouw Siti neemt de kinderen van het personeel soms mee naar het openluchtmuseum Taman Mini in Zuid-Jakarta.

De geserveerde maaltijd smaakt voortreffelijk. Koesoemo laat me zijn collectie porseleinen borden zien. Het zijn antieke borden uit de laat achttiende tot begin twintigste eeuw en ze hebben sierlijke geometrische vormen en soms fijne tekeningen van landschappen in rood, blauw, groen en bruin. Ze zijn bijzonder fraai. De stempels aan de achterkant van de borden onthullen dat ze afkomstig zijn van internationale stoomvaartmaatschappijen en handelscompagnieën. Ze zijn vervaardigd door Chinese, Britse of Nederlandse aardewerkfabrikanten, waaronder Regout in Maastricht.

Lily vertrekt naar de villa van Lativa. Ze wordt weggebracht door Koesoemo's vrouw, die met een handkus afscheid neemt van haar man. Deze nacht zal ik blijven logeren. De aimabele Koesoemo, die goed kan converseren en analyseren, verhaalt over de verborgen familiegeschiedenis. We praten door tot ver na middernacht, waarna Koesoemo me naar het gerieflijke gastenverblijf begeleidt. Helaas ben ik mijn oordopjes vergeten. Het is nog steeds ramadan en al heel vroeg word ik wakker van het doordringende geluid van de gebedsoproepen, dat deels wordt overstemd door het onophoudelijke gebrom van de airco.

In het huis staan Siti en haar zoon op. De bedienden beginnen met het bereiden van de ochtendmaaltijd. Siti wil de oude tradities doorgeven aan haar zoon.

Bruine Hollander

Gisteravond heeft Koesoemo het duistere familiegeheim van Raden Wachjo, de vader van Amir, onthuld. Hij was de zoon van Nitihardjo, een kleinzoon van de sultan Hamengku Buwono VII van Yogyakarta. Hij trouwde met de Indo-Europese Josephine Wilhemina Israël. Samen kregen ze acht kinderen. De karakteristiek gemengde Indisch-Javaanse sfeer kenmerkte de meeste *priai*-kringen, de lagere en middenklasse van de Javaanse adel. Wachjo heeft de Technische Hogeschool in Bandung gevolgd en werd hoofdopzichter bij een houthandel. Hij ontving een vast bedongen percentage van het afgeleverde teakhout. Zo verdiende hij een vermogen met tropisch hardhout.

De welgestelde Wachjo was zeer Europees ingesteld en wilde zelfs Europeaan worden. Bij het Departement van Koloniën te Batavia diende hij een verzoek in om zijn naam en nationaliteit te wijzigen. Hij koos voor Richard William Lancelot, een romantische Britse ridderfiguur uit de vroege middeleeuwen. Deze fantasienaam moest de weg plaveien naar een succesvollere loopbaan en voor acceptatie binnen de koloniale gemeenschap zorgen.

Voor naamsverandering en omzetting van nationaliteit bestond weliswaar een wettelijke regeling maar die werd slechts bij hoge uitzondering toegepast. Bij koninklijk besluit van vorstin Wilhelmina in het jaar 1925 veranderde de Indonesiër Wachjo zijn naam in die van Lancelot. Hij ontving een Nederlands paspoort waarin zijn nieuwe naam stond vermeld. Hij had het Nederlanderschap gekocht.

'Het kostte hem wel tienduizend harde Nederlandse guldens', zegt Koesoemo.

Een vermogen in die tijd. Nu werd hij gelijkgesteld met een Europeaan en mocht hij de sociëteit bezoeken. Een bijzonder voorrecht. Een lid van de Europese Club is geprivilegieerd, dacht hij en hij verwachtte met meer respect en aanzien te worden behandeld.

In het koloniale Indië heerste een strakke hiërarchie. Meestal leefden de blanken, de Indo's en Indonesiërs gescheiden van elkaar. Buiten de eigen kring ging men nauwelijks met anderen om. De maatschappij in de tropen was gebaseerd op verschillende rassen en klassen.

Op zijn eerste vrije weekend rijdt Lancelot in zijn metallic grijze Packard Sedan over de Grote Postweg richting Hotel Preanger. Daar parkeert hij zijn wagen en stapt uit. Hij draagt, net zoals de kolonialen, een hoog gesloten witte jas, een *tutup*, die hij heeft gekocht bij de befaamde Franse kleermakers Oger Frères in Batavia. Langzaam loopt hij met zijn glimmend gepoetste schoenen en hardhouten stok met wit ivoren knop in de richting van de koloniale Club Concordia op de hoek van de Grote Postweg en de Braga, een drukke winkelstraat. Op het terras zitten Europese kolonialen in smetteloze witte tropenpakken ontspannen onder de gestreepte zonneschermen. Ze mijden zoveel mogelijk de onbarmhartige zon. Gretig drinken ze bier uit grote glazen pullen. In deze herensociëteit kunnen ze zichzelf zijn. Ze kunnen kaarten, drinken en brallen, niet gehinderd door afkeurende blikken. De bruingetinte Lancelot aarzelt even, hij voelt zich niet zo op zijn gemak. Voor het eerst is hij op weg naar de Europese Club waar zelden of nooit een niet-blanke over de drempel komt, met uitzondering van het Indonesische personeel. Lancelot verlangt naar de status van Europeaan maar wordt bij de ingang tegengehouden. Vol trots toont hij het officiële document waarin staat dat hij Europees staatsburger is geworden. Zo heeft hij toestemming verworven om de exclusieve blanke 'soos' te mogen betreden. De portier kijkt langdurig en nauwgezet naar zijn papieren met aangehechte zwart-witportretfoto. Uiteindelijk laat hij hem door. Binnen hangt een verschraalde alcoholgeur. Het is niet druk. Lancelot loopt door de grote lobby naar de lange bar en bestelt een jonge jenever. Vanuit zijn ooghoeken observeert hij de drinkende blanke mannen. Hij werpt onzeker een blik om zich heen. Niemand kijkt op of om. Het lijkt of hij volledig wordt genegeerd. O, die onuitstaanbare Hollandse kolonialen. Je kunt vooroordelen niet veranderen met een document van de andere kant van de wereld, denkt Lancelot teleurgesteld. Scherper dan ooit beseft hij dat hij nooit als gelijke zal worden beschouwd.

De koloniale samenleving bleef doortrokken van ongelijkheid en racisme. Dat kon je niet zo maar afkopen. Later schreef hij zich in bij de Indische afdeling van de Vrijmetselarij. Hij meldde zich als lid bij de loge Dharma in Bandung, een genootschap van vooraanstaande Nederlanders, rijke Chinezen en Javanen uit de hoge adel. De vrijmetselaars toonden zich wel respectvol. Regelmatig nam hij deel aan de besloten bijeenkomsten, maar ze waren niet zo invloedrijk als altijd werd beweerd. De vrijmetselaars stimuleerden voor een belangrijk deel de 'verlichte' denkbeelden in de koloniale samenleving. Lancelot bezocht ook de Theosofische Vereniging waar lezingen over de theorieën van de Russisch-joodse Helena Blavatsky werden gehouden. Zij benadrukte de tijdloze wijsheid en universele broederschap. Onder westers opgeleide Indonesiërs en Indische Nederlanders waren theosofie en vrijmetselarij tamelijk populair. Deze filosofische en humanistische stromingen werden niet gehinderd door raciale vooroordelen.

Zijn zoon Arthur Lancelot kwam in mei 1929 ter wereld. Hij groeide op als een 'koloniaal kind' in Bandung. Hij kreeg een Europese opvoeding en zijn scholing op de Hollandse HBS. Arthur kleedde zich altijd Europees net als de hele bovenlaag in de kolonie. Thuis mocht hij alleen Nederlands spreken. Natuurlijk kende hij ook *pasar*-Maleis, de taal die je sprak op de markt en waarmee je met de bedienden kon communiceren. Eigenlijk mocht hij niet met de Indonesische jongens van de kampong omgaan. Heimelijk ging hij met zijn Javaanse vriendje Karto schieten en jagen in het veld. Volgens zijn ambitieuze vader was hij met zijn westerse opleiding en Nederlandse paspoort voorbestemd voor een glansrijke carrière, net zoals zijn Indo-Europese grootouders dat bij het Binnenlandse Bestuur hadden gemaakt. Met een Europese *mind* zou Arthur meer kansen hebben in de rangen- en standenmaatschappij van Nederlands-Indië. Maar in 1942 werd Nederlands-Indië binnengevallen en bezet door de Japanners en deze 'zonen van de zon' maakten voorgoed een einde aan de Nederlandse heerschappij. Zij stimuleerden het Indonesische nationalisme. Direct na de capitulatie van Japan in augustus 1945 proclameerden Soekarno en Hatta de onafhankelijke republiek Indonesië. In de daaropvolgende Bersiaptijd (1945/1946) traden de *pemuda's* gewelddadig op tegen de (Indische) Nederlanders en Chinezen. Daarna volgde nog een bittere strijd met de Nederlandse dienstplichtigen en oorlogsvrijwilligers op Java en Sumatra. De Nederlandse regering probeerde de vooroorlogse situatie te handhaven. Richard Lancelot en zijn zoon Arthur zaten gevangen in de rafels van de tanende koloniale macht. Ze waren zich bewust van hun stervende westerse identiteit en hadden hun rotsvaste vertrouwen in de Nederlandse instituties al verloren. In december 1949 vond de formele soevereiniteitsoverdracht van Nederlands-Indië plaats. Het koloniale tijdperk was definitief voorbij.

Op dat moment bevond de familie Lancelot zich in verwarde toestand in Nederland. Ze voelden zich ontheemd. De Europees georiënteerde

Arthur raakte bovendien verliefd op de Hollandse Lily. Na enkele maanden keerde hij terug naar het sterk veranderde Indonesië. Hij onderhield een intensieve briefwisseling met zijn Hollandse vriendin. Binnen een jaar na hun ontmoeting besloot Lily, die met de handschoen was getrouwd, zich definitief bij haar Javaanse geliefde te voegen. De politieke situatie in Indonesië was voor de familie Lancelot niet bepaald gunstig. Ze hadden nog steeds een Europese naam en een Nederlands paspoort.

In 1950 waren vele Indisch-Nederlandse families al uit de archipel vertrokken. In datzelfde jaar diende Richard Lancelot een formeel verzoek bij president Soekarno in om zijn Nederlanderschap weer terug te draaien. Zijn verzoek werd gehonoreerd. Dat was een hele geruststelling. Lancelot had voor de oorlog drie huizen in Bandung gekocht. Deze panden waren door de Republikeinse politie als oorlogsbuit geconfisqueerd. Nu kon de Indonesiër Raden Wachjo zijn huizen weer opeisen. Ogenschijnlijk onderging hij zelf zonder problemen de verschuiving van zijn identiteit. Zo leek alles toch nog goed te komen. Wachjo was gehecht aan zijn geboorteland en zijn adellijke afkomst. Soms dacht hij met weemoed terug aan het oude Indië. Zijn mooie herinneringen hield hij levend. Zijn vergeefse loyaliteit en trouw aan het koloniale systeem had hij verdrongen. De affaire Lancelot/Wachjo zorgde in zijn omvangrijke familie wel voor tweedracht. Men wilde niets weten van een volbloed Indonesiër die de blanke koloniaal had gespeeld. Hij werd vanwege zijn banden met de Nederlandse overheerser gemeden door de familie en schertsend de 'bruine Hollander' genoemd.

Vanwege de politieke omwenteling kon de jonge Arthur geen Nederlands staatsburger meer zijn. Hij voelde zich min of meer gedwongen een andere identiteit aan te nemen en presenteerde zich als een Indonesische moslim van aristocratische afkomst. Zijn titel Raden had hij behouden, die was erfelijk. Hij behoorde tot de lagere Javaanse adel, de *priai*.

Een nieuw personage is ontstaan: geboren als Arthur Lancelot werd hij nu Raden Amir Wachjo. Die naam stond gegraveerd op het metalen naambordje bij zijn voordeur in Bandung. Toch was hij niet als Indonesiër opgevoed. Soms leek hij wel een *self-hating* Indonesiër. Door het noodlot moest de verwesterde Arthur nogal abrupt van identiteit wisselen. Hij raakte steeds verder vervreemd van zijn Europese wortels en verdwaalde in het verwarrende web van identiteiten en loyaliteiten. Lily noemde hem vaak 'chrislam' soms christelijk en dan weer islamitisch. Hij sprak nooit over die verscheurde achtergrond maar nam zijn toevlucht tot occulte krachten en het spiritualisme. Dat was zijn manier om de realiteit van het bestaan te ontvluchten.

Er zat iets merkwaardigs in de geheimen over zijn afkomst. Misschien was het vooral de pose van een escapist en hedonist. Met zijn slanke lichaam en elegante voorkomen deed hij het goed bij de vrouwen en lange tijd had hij zijn erotische escapades voor zijn echtgenote verborgen kunnen houden. Amir was oppervlakkig gezien een charmante man maar hij kon onverwacht in razernij ontsteken. Zo zwaaide hij nogal snel met zijn revolver naar toevallige passanten of naar zijn Chinese buurman die het had gewaagd een ongewenste blik op zijn hoogblonde vrouw in de tuin bij zijn huis te werpen.

De politieke ontwikkelingen hadden ook een grote invloed op zijn persoonlijke leven. In de jaren vijftig en begin jaren zestig voerde president Soekarno een antiwesterse kruistocht.

De door de Indonesische regering georkestreerde wijdverspreide angst en intimidatie veroorzaakten dat de laatste duizenden Hollanders definitief vertrokken. De Nederlandse gemeenschap werd letterlijk weggevaagd. Amir zat in de knoop met zijn eigen interetnische relatie die hij beschouwde als een soort verraad aan de jonge staat Indonesië. Hij projecteerde al zijn onderdrukte gevoelens op zijn blanke importvrouw uit Holland.

'Amir was ziek in zijn hoofd', zei Lily gelaten.

Na een treinreis door de bergen van West-Java word ik bij het spoorstation Gambir in Jakarta afgehaald door Koesoemo en zijn zoon. Een paar dagen zal ik nog bij de gastvrije Koesoemo's logeren. Met hun zwarte glimmende jeep rijden we door het drukke centrum naar een restaurant in de wijk Menteng. Een grofgebouwde Amerikaanse zakenman maakt stampij omdat zijn stationwagon is ingesloten door andere geparkeerde auto's. Hij kan geen kant meer op. In het bijna lege restaurant bestellen we fish & chips en ijsthee. Later drinken we koffie in de ernaast gelegen Starbucks. Aan een ronde tafel zitten drie volledig in het zwart geklede en gesluierde jonge vrouwen met hun *handphones* te spelen; ze drinken koffie en eten taartjes. Het is overdag en nog steeds ramadan. Ze storen zich niet aan de islamitische voorschriften maar voldoen wel aan de modieuze islamitische dresscode. Men koketteert met de conservatieve islam maar omarmt tegelijkertijd de westerse materiële wereld.

's Avonds toeren we met de terreinwagen naar het moderne centrum van Jakarta. Er bestaat een vrees voor aanslagen op hotels, nachtclubs, bars en cafés waar veel westerlingen komen. In het zeegroen geverfde hotel Grand Cempaka, dat eigendom is van de provinciale overheid, is een ramadandiner met livemuziek georganiseerd. De band bestaat uit drie muzikanten, een zangeres en zanger. De zangeres draagt een glimmend geel zijden gewaad met dito sjaal en gouden oorbellen. De zanger heeft een lichtroze broekpak aan met roze *peci*. Hun muziek is een mengeling van Arabische en Javaanse stijlelementen. Slechts een tiental gasten is aanwezig. Een uitgebreide rijsttafel wordt geserveerd. De sfeer is ontspannen.

Het gesprek aan tafel gaat over de populaire televisiester en verlichte islamprediker A.A. Gym. Volgens Koesoemo neemt hij geen duidelijk standpunt in tegen de conservatieve islam. Hij wil vooralsnog niet kiezen, maar iedereen te vriend houden. Daar dankt hij ook zijn grote populariteit aan. In zijn laatste televisieoptreden doceerde Gym omstandig over rijkdom en hij relativeerde succes: 'Je moet nooit vergeten dat het ook je ondergang kan worden.'

Een jaar later zal de bijzonder geliefde televisie-imam aankondigen dat hij er een jongere vrouw bij neemt. Zijn oudere echtgenote wordt 'bewerkt' door islamitische geestelijken om de vrouw te aanvaarden. Samen met zijn beide echtgenotes verschijnt hij voor de camera's. Zijn religieuze rechtvaardiging van polygamie roept veel protest op bij de Indonesische vrouwen. Zij vrezen dat hun mannen zijn voorbeeld zullen volgen. Het televisiepubliek laat A.A. Gym ongenadig vallen.

Na de maaltijd rijden we over de drukke verkeersweg Jalan Sudirman naar Hotel Shangri-La om iets te drinken. Uit angst voor aanslagen zijn bij de hoofdingang van dit gerenommeerde vijfsterrenhotel geüniformeerde leden van de antiterreureenheid Detachment 88 gestationeerd. Snel laat de chauffeur de donker gecoate ramen van onze Ranger-jeep zakken. De militairen met hun automatische wapens doen nogal nerveus en kijken niet bepaald vriendelijk. Routineus doorzoeken ze de bagageruimte van de terreinwagen. In het wegdek bevinden zich metalen verkeersdrempels die het rijden belemmeren. Verderop sluit een zware hefboom de oprit naar de hotelingang af. Daar staan eveneens grimmig kijkende bewapende soldaten. Na de controle krijgen we toestemming om door te rijden. Op de lange oprijlaan zijn een aantal metalen versperringen geplaatst.

'Het lijkt wel 1946 tijdens de koloniale oorlog', zegt de chauffeur laconiek.

We mogen de SUV niet zelf de parkeergarage in- en uitrijden. Er komt een speciale bewaker die onze wagen wegrijdt. Bij de hotelingang staat een rij metaaldetectors.

Het talrijke personeel is uitermate vriendelijk en voorkomend. We lopen door de grote hal met kristallen kroonluchters die lijken op schitterende ijspegels. Het Shangri-La Hotel heeft ruim zeshonderd kamers en is omgeven door een weelderige tropische tuin met buitenzwembad.

Er zwemt niemand. Uit een nabijgelegen moskee klinkt de doordringende oproep tot het avondgebed. In het aangrenzende restaurant dineren tientallen Aziatische toeristen. Er zijn geen westerlingen meer te bekennen. In de lobby staat een replica van twee bij twee meter van de At-Tin moskee in witte chocolade, melkchocolade en donkerbruine, pure chocolade. De moskee is ooit door de vrouw van president Soeharto, Hartina, ook wel '*Ibu* Tien' genoemd, gefinancierd en geschonken aan Taman Mini, het Indonesische cultuur- en museumpark bij Jakarta. Het hotel is ook een uitgelezen ontmoetingsplek voor de Indonesische elite.

Koesoemo wijst me op een oudere man die wat stram loopt. Hij draagt een grijze broek en een geruit overhemd. Het is de kritische analyticus en seculiere academicus Yuwono Sudarsono. Hij is minister van Defensie in het kabinet van de zesde president van Indonesië, Susilo Bambang Yudhoyono. 'Hij heeft een beroerte gehad en misschien moet hij worden vervangen', zegt Koesoemo met enige spijt.

De volgende dag blijven vanwege de ramadan bijna alle cafés en clubs gesloten. Alleen in de vijfsterrenhotels is nog wat te beleven en er wordt alcohol geschonken. Bij het luxueuze Gran Melia Hotel zijn eveneens strenge veiligheidsmaatregelen getroffen. De brede ingang wordt zwaar bewaakt door gewapende militairen. Bij een checkpoint moeten we stoppen en wordt de terreinwagen weer gecontroleerd. Ditmaal mogen we wel zelf de ondergrondse parkeergarage inrijden. Opnieuw staan militairen met automatische wapens in de aanslag te wachten. Koesoemo zegt dat het hotel te koop staat. Niemand wil het nu overnemen, het is een beroerde tijd vanwege de terreurdreiging en het sterk afgenomen toerisme. We nemen de lift naar boven en lopen door de lobby naar de grote lounge met rode vloerbedekking en zachte fauteuils. De enorme zaal heeft een gewelfd plafond dat is bekleed met tropisch hardhout en dat wordt gesteund door stevige koperen zuilen. De airco staat hoog, de koelte komt ons tegemoet.

Een eenzame pianist speelt zachte achtergrondmuziek. Er is zeker plaats voor tweehonderd hotelgasten. Er bevinden zich slechts drie blanke mannen, ze drinken een borrel. Apart in een hoek staat een sculptuur van chocolade met een omvang van tweeënhalf bij twee meter. Het is een replica van drie dubbele pagina's met spreuken uit de Koran. Het gaat om de Ad-Baqarah-tekst. De Moslimraad van Jakarta heeft speciale toestemming voor dit chocoladekunstwerk gegeven. Er mag geen fout in deze Korantekst staan. Ze controleren de Arabische tekst die in donkerbruine chocoladeletters op een witte achtergrond van chocolade is aangebracht. Vorig jaar was er desondanks een fout in de tekst geslopen en de chocoladesculptuur werd afgekeurd. In totaal is er in de sculptuur vierhonderd kilo witte en donkere chocolade verwerkt. Een team van vijf mensen is er een maand mee bezig geweest. Dit prestigieuze project is ter gelegenheid van de ramadan uitgevoerd.

Liefde op het eerste gezicht

Die avond vertelt Koesoemo het familieverhaal van de Indonesische Diman en Lativa, dat zich afspeelt op het hoogtepunt van de economische *boom* tijdens het machtige Soehartobewind. Ze hadden elkaar bij toeval ontmoet tijdens een Garuda-vlucht van Bandung naar Jakarta. Diman werd op slag verliefd op de jonge, beeldschone Lativa. Hij ontwikkelde een ware passie voor haar. Ze bleven elkaar veelvuldig ontmoeten. Hij was een schatrijke ministerszoon en zij een studente. De negentienjarige Lativa, die nog studeerde in Jakarta, nam haar intrek in de villa van de Koesoemo's, een gerespecteerde familie binnen Soehartokringen. De jurist Raden Koesoemo, een directe neef van haar overleden grootvader Raden Amir, werd haar plaatsvervangend familielid. Diman, die in Jakarta woonde, bezocht Lativa regelmatig in de villa van haar familie in Kuningan. Op een gegeven moment kwam minister Hartarto hoogstpersoonlijk op bezoek bij de Koesoemo's voor het regelen van de voorbereidingen van het voorgenomen huwelijk van zijn zoon Diman met Lativa. Koesoemo benadrukte dat Lativa nog erg jong was en dat ze eerst haar studie moest voltooien. Dat leverde geen enkel probleem op. Er was nog wel een ander dilemma. Haar moeder Dewi raakte op zeventienjarige leeftijd zwanger van een Indonesische schoolvriend met wie ze kort was getrouwd.

Haar oudere zus Nana had zich over de jonge Lativa ontfermd. De vrijgevochten levensstijl van Dewi deed haar reputatie ook geen goed. Ze was met verschillende minnaars in hotels gesignaleerd. Een vergeefse zoektocht naar liefde en troost. Haar Hollandse grootmoeder Lily was blank en gescheiden. Lativa had geen ideale achtergrond. Raden Koesoemo vroeg zich af hoe hij de status van Lativa's familie kon opvijzelen. Haar toekomstige man Diman was een zoon van dr. Hartarto Sastrosunarto, een belangrijke minister in het Soehartoregime. Deze zeer gerespecteerde familie had aanzien en vermogen verworven. Hartarto zou zeker vertrouwelijke informatie inwinnen over de achtergrond van de jonge Lativa. Die moest perfect zijn anders zou de reputatie van de machtige Hartarto's kunnen worden geschaad. Wellicht zou het huwelijk dan geen doorgang kunnen vinden.

Koesoemo moest nog officieel de vader en moeder van Lativa aan de familie Hartarto voorstellen. Nana, de zus van Dewi, en haar echtgenoot Benny werden beschouwd als de wettige ouders. Al jarenlang hadden ze de opvoeding van de jonge Lativa op zich genomen. De biologische vader werd opgespoord en deed bij de islamitische rechtbank officieel afstand van zijn vaderschap. Hij droeg dit recht formeel over aan Benny. Zo werd hij geheel volgens de islamitische wet als de échte vader aangenomen.

Op de huwelijksplechtigheid, die in oktober 1992 plaatsvond in de villa van de Koesoemo's, werden Nana en Benny als de (pleeg)ouders aan de familie Hartarto gepresenteerd. Het bruidspaar en hun ouders droegen de fijn gedecoreerde *kaïns* van het hof van Yogyakarta. Volgens de traditie knielde het jonge paar plechtig voor de grootouders en ouders. Lativa had een geblanket gezicht en op haar voorhoofd was met make-up een aantal zwarte krullen getekend. Uit de haarwrong staken goudkleurige pennen die eindigen als bloempjes van glinsterende edelstenen. Op haar hoofd was een gouden sieraad bevestigd. Diman had een fraai bewerkte kris aan de achterkant van zijn kaïn gestoken.

Op dat moment waren ook de biologische ouders via een zijdeur binnengekomen. Ongemerkt namen ze plaats naast Nana en Benny. De bruid en bruidegom kusten de hele rij familieleden en dus ook de biologische ouders, die een bijrol in deze plechtigheid vervulden. Aan de vereiste verplichtingen was voldaan. Niets stond hun geluk nog in de weg. Hartarto wees op een gegeven moment naar het onbekende stel.

Argwanend vroeg hij: 'Wie zijn die mensen?'

Koesoemo reageerde daar wijselijk niet op. Hartarto had het ongetwijfeld wel begrepen.

De biologische ouders verdwenen zo onopvallend mogelijk weer van het toneel. In aanwezigheid van de eregasten en getuigen president Soeharto en vicepresident Sudharmono werd het societyhuwelijk voltrokken. Behalve de eerste en tweede man van de Republiek Indonesië was een groot deel van het kabinet present. De oud-gouverneur van West-Java H. Mashudi was speciaal voor deze gelegenheid uit Bandung overgekomen. De vrijwel blinde Abdurrahman Wahid, ook bekend als Gus Dur, voorzitter van de grootste moslimbeweging Nahdlatul Ulama (de vierde president van Indonesië 1999/2001) hield een toespraak in het Arabisch die werd vertaald in het Bahasa Indonesia. De vele genodigden werden voor de receptie, het diner en de feestelijkheden in een vijfsterrenhotel in Jakarta uitgenodigd. Koesoemo haalde opgelucht adem, alles was naar wens verlopen.

De onvoltooide brief

De volgende dag zijn we op weg naar de wijk Senen in het centrum van het oude Jakarta. Opnieuw wil ik Inah, de weduwe van Guntur, een bezoek brengen. De enorme auto met brede terreinbanden wordt naast de kleine *warung* bij het hoekhuis geparkeerd. Guntur woonde al vijfentwintig jaar aan de Tanah Tinggi Timur. Vroeger was het een redelijke buurt. Nu maken de huizen een onverzorgde, soms vervallen indruk. De woonwijk is aan het verpauperen. Er rijdt veel autoverkeer door de smalle, overvolle straten. De smerige autogassen blijven hangen in de lucht. De afgetobde Inah doet de deur open, ze draagt een dun zomerjurkje. Meteen overhandig ik haar geld, cadeaus en de kleurenfoto's van mijn bezoek aan Gunturs graf in Tanah Kusir. In het huis hangt een ouderwetse baklucht. Inah is druk bezig met het bakken van allerlei lekkernijen voor Lebaran, het feest na afloop van de ramadan. Die hapjes worden in plastic bakjes verpakt en later verkocht op de Pasar Senen, de nabijgelegen drukke markt. Nogmaals vraag ik haar naar de omstandigheden van het overlijden van haar man.

'What can I say. You are too late', zegt Inah met een lege blik.

In de donkerbruine brede kast met glazen deuren staan zijn favoriete boeken over de geschiedenis van Indonesië, Amerika en de Tweede Wereldoorlog. Boven op een stapel ligt een lichtblauw gebonden boek met de titel *Managing Stress*. Er vlak naast bevindt zich een parelsnoer van zijn moeder Lily. De parels hebben hun glans verloren. Ik wil Gunturs portret dat aan de muur hangt fotograferen, maar er is te weinig licht in de kleine ruimte. Inah geeft me een klein formaat kleurenfoto in een eenvoudige bruine plastic omlijsting. Het is een portret uit november 2004 van Guntur, Inah en hun zoon Ariel tijdens een familiefeest in Yogyakarta. De onscherpe, intrigerende foto is een halfjaar voor Gunturs dood gemaakt. Ze staan gedrieën in een zaal of een lounge van een hotel. Guntur staart ondoorgrondelijk naar de fotograaf. Hij draagt een wijd, lichtgroen gebloemd hawaïhemd boven een zwarte pantalon. De opgewekt ogende Ariel, een succesvolle student, is traditioneel gekleed als een adellijke prins van het hof van Yogyakarta. Wat vond Guntur ervan dat zijn zoon in Javaanse hofkleding was gehuld?

'Hij had helemaal niets met zijn adellijke afkomst. Maar Ariel is er trots op', zegt ze zacht.

Ondertussen wachten de Koesoemo's nog steeds buiten. Ze zijn gewend aan een smetteloze villa met airco en luxueuze inrichting en zijn nogal geschrokken van de rommelige tuin en het kleine vervallen huis. Na een kort gesprek loop ik met Inah naar buiten. Ze wordt hartelijk begroet. Familie blijft familie.

Koesoemo wijst me in de voortuin op een bloeiende frangipane, een tropische sierboom voor de goden. Deze kronkelige boom draagt rozewitte bloesems. Bij het hoofdeinde van Gunturs graf is een jonge frangipane met crèmekleurige bloemknoppen geplant. Hij hield van deze heilige bomen die ook groeien op binnenplaatsen van Balinese tempels.

Voor de laatste keer vraag ik Inah naar de ware toedracht van Gunturs dood. Zwijgend geeft ze me een ongevouwen vel papier waarop met blauwe vulpeninkt onregelmatige zinnen in het Engels zijn neergekrabbeld.

'Die brief is vlak voor zijn dood geschreven', zegt Inah.

Onmiddellijk pak ik het postpapier en begin te lezen.

Jakarta, 29 mei 2005.

Beste Loek, Ik zal je bij je komende bezoek aan Jakarta in contact brengen met allerlei mensen en ook gidsen door de stad. De laatste decennia heb ik in Jakarta gewoond, een krankzinnige en luidruchtige metropool met zestien miljoen inwoners. De stad barst uit zijn voegen, de huizenprijzen zijn sterk gestegen en de problemen zoals de sociale ongelijkheid, de luchtvervuiling en de wateroverlast tijdens de jaarlijkse moesson zijn enorm. Ik hield me in leven met wat vertaalwerk van Bahasa naar het Nederlands of Engels. Om te overleven verzorgde mijn vrouw Inah een catering van cakes, taartjes en lekkere hapjes voor groepen en bedrijven. Dankzij haar inspanningen hebben we het volgehouden. Zoals je weet werkte ik begin jaren zeventig bij de Zwitserse ambassade en later bij een rechtshulpbureau met enkele oud-studenten die rechten

hadden gestudeerd. In de harde Indonesische samenleving
vielen veel mensen tussen wal en schip. Het haveloze kantoortje
was in een onopvallende gang, een steegje gevestigd. Maar we
werden steeds meer tegengewerkt en uiteindelijk zijn we ermee
gestopt. Het regime van Soeharto was alom aanwezig. Jij bent
zo geïnteresseerd in de geschiedenis van Indië en Indonesië.
Ik zal je rondleiden door de oude stad, Kota Batavia en de
weggemoffelde, oudste Europese begraafplaats Tanah Abang van
Batavia uit het eind van de achttiende eeuw. Dit door vegetatie
overwoekerde kerkhof met zijn verweerde grafzerken werd eind
jaren zeventig van de vorige eeuw gesloten en het grootste deel
werd geruimd om plaats te maken voor kantoorgebouwen.
Slechts een klein aantal imposante marmeren grafstenen en
tombes is gespaard gebleven en in het parkje Taman Prasasti
samengebracht. De oude stad wordt bewust veronachtzaamd.
De koloniale gebouwen vervallen en storten in elkaar. Boeken
en collecties over het oude Indië worden ergens opgeslagen om
voorgoed te verdwijnen in de vergetelheid. Indonesiërs vinden
het een beladen periode, die ze zo snel mogelijk willen vergeten.
Geschiedenis speelt geen enkele rol meer in het moderne
Indonesië…

De brief eindigt abrupt. Ik draai het papier om. De achterkant is blanco.

Ik blijf aandringen om het verhaal achter de dramatische gebeurtenis te weten te komen. Uiteindelijk blijkt dat een groep chauffeurs en monteurs van een nabijgelegen militaire transportdienst zich elke avond vermaakte bij de *warung* naast hun huis. In de kazerne is het streng verboden sterke drank te gebruiken. De militairen kochten in een nabijgelegen supermarkt flessen Bintang die ze later op de wrakkige houten bankjes bij de warung opdronken. Ze maakten grapjes met de knappe jonge vrouw die daar elke avond gekruide snacks en sigaretten verkocht. Ten slotte kwamen ze naar deze hangplek voor die mooie meid, voor de ontspanning en de gezelligheid. Elke avond was er geluidsoverlast van drinkende, lallende militairen. Guntur kon er niets tegen doen. Hij zat hopeloos vast in deze stadskampong. Op een zondagavond laat probeerde hij zijn gedachten op papier te zetten. Hij kon niet meer goed nadenken. Door het lawaai dat naar binnen drong was zijn concentratie verdwenen. Deze vervloekte stad met het voortdurende verkeerslawaai. Hij werd er hypernerveus van. Door de drukkende hitte, het knetterende geluid van een oneindige stroom van motoren en auto's en het gebral van mensen bij de warung naast zijn huis begon hij zijn geduld te verliezen. Geïrriteerd liep hij naar de voordeur. Bij het lage metalen hek bleef hij staan en vroeg aan de jonge militairen of ze het wat rustiger aan konden doen. Ze scholden hem uit voor *bulé*. Guntur werd woedend. Op dat moment bevond Inah zich in de badkamer achter in het huis. Ze hoorde het geschreeuw en haastte zich in haar nachtjapon en op blote voeten naar de voorkamer. Daar lag haar man met een verwrongen gezicht hulpeloos op de grond. Langzaam stroomden straaltjes bloed uit zijn neusgaten en mond. Krampachtig greep hij met beide handen naar zijn hoofd en schreeuwde het uit van de pijn. Binnen een paar minuten overleed hij ter plekke. Een arts constateerde een geknapt bloedvat in de hersenen. Er werd geen sectie verricht. Was er alleen ruzie met woorden geweest of had er ook daadwerkelijk een schermutseling plaatsgevonden? Zijn vrouw had helemaal niets gezien en wist niet wat er was gebeurd.

Tijdens en na de begrafenis bezochten veel familieleden het huis van Guntur. Ze parkeerden hun dure grote stationwagons vlak naast en voor het kleine kraampje. De goed geklede en gekapte mensen, duidelijk zichtbaar Indonesische elite, werden nauwlettend gadegeslagen door de jonge verkoopster van de warung. Alles werd ongetwijfeld doorverteld aan de militairen, die even verderop in de kazerne waren gehuisvest.

Guntur met zijn onmiskenbare Europese trekken woonde weliswaar in een armoedige ambiance maar had belangrijke familieleden met geld en macht. Daar draait alles om in de Indonesische samenleving. De jonge overlastgevende militairen lieten zich nooit meer bij de warung op de straathoek van de Tanah Tinggi Timur zien. Ze leken geruisloos te zijn verdwenen. Het is nu elke avond heel rustig bij de kiosk naast het hoekhuis. Het mooie warungmeisje had wel alles van dichtbij waargenomen maar ze had besloten te zwijgen.

Ze zal voor eeuwig haar mond houden.

Woordenlijst

aduh, uitroep van verbazing, ergernis of pijn

alang-alang, hoog gras

alun alun, centraal plein

angkot, minibusje

anglo, stenen komfoor, stoofje

apa nonja lulus?, ben je vrijgelaten?

bandjir, overstroming

becak, fietstaxi op drie wielen

belanda busuk, verrotte Hollanders

beliau 'hij daarboven'

benteng, versterkte nederzetting, vesting

bulé gila, gekke blanke, buitenlander

bulé, albino, scheldwoord voor blanke

cemara, tropische naaldboom

cendol, traditionele zoete kokosdrank

dangdut, opzwepende dansmuziek

deleman, tweewielig rijtuigje

djongos, bediende

dukun, inheemse dokter en geestenbezweerder

gado gado, Indonesisch groentengerecht

galangan, sawadijkje

grobak, karbouwenkar voor transport van vracht

gudang, opslagruimte

guna guna, zwarte tovenarij

hadja, vrouwelijke hadji

hadji, moslim die tijdens de bedevaartsmaand Mekka en Medina heeft bezocht

hantu, spook

ibu, aanspreektitel voor oude vrouw

jilbab, traditionele islamitische hoofddoek voor vrouwen

kafirs, ongelovige Europeanen

kaïn, wikkeldoek

kali, rivier

kampung, dorp, ook volkswijk

kebaja, linnen jasje

kebon, tuinjongen

kemboja, frangipane, sierboompje

kendi, aardewerken pot

kerudung, traditionele islamitische hoofddoek voor vrouwen

kesambet, behekst door kwade geest

kiai, islamprediker

kondé, kunstmatige haarwrong

kopi susu, lichtbruine huidskleur

kopi tubruk, koffie

krees, zonnescherm, rolgordijnen van dunne bamboelatjes

krossi-gojang, schommelstoel

lajangan, vlieger

mama pulang dong, mama ga mee naar huis

mesjid, moskee

mudik, uittocht van miljoenen Indonesiërs die na de ramadan familie bezoeken

nènèk, oude vrouw

oplet, klein busje

orang asing, buitenlander

orang halus, goedaardige geest

pak (bapak), aanspreektitel voor oude man

pasar, markt
peci, kalotje
pembantu, huisbediende
pemuda, jonge, Indonesische
strijder
penakut, bangerik
pencak silat, Indonesische
vechtsport
pengasuh, kinderverzorgster
pesantren, religieuze kostschool
pikolan, bamboe draagstok met
manden
pondok, eenvoudig vakantiehuis
van hout en bamboe
priai, Javaanse adel
puputan, traditionele zelfdoding
puri, paleis
raden, adellijke Javaanse titel
radja, vorst
rampassen, inbreken, beroven
rampokken, plunderen
rokok, roken
rupiah, Indonesische
munteenheid; tienduizend
rupiah is ongeveer een euro
sapu lidi, bezem gemaakt van
een palmblad
sarong, kokervormige gebatikte
heupdoek
saur, saur, oproep tot ontbijt
tussen drie en vier uur in de
ochtend tijdens ramadan
sawa, bevloeid rijstveld
sedap malam, kleine witte
jasmijnbloemen
selamatan, plechtige (feest)
maaltijd
sepupu, neef
sholat subuh, ochtendgebed

sinetron, Indonesische televisiesoap
sirip, zwarte magie
slendan, doek
susuk, gouden naaldje
syarat, voorwaarde
takdir, noodlot
taraweh, avondgebed
tolol, dom
tongèret, krekel
totok, volbloed Europeaan
tutup, hooggesloten, witte jas
ulama, islamitische schriftgeleerde
waringin, grote vijgenboom
warung, kraampje
wisma, gastenverblijf

Verantwoording

Deze familiegeschiedenis is vooral gebaseerd op gesprekken, waarnemingen en onderzoek. Het is, in tegenstelling tot mijn andere publicaties over Nederlands-Indië/Indonesië, literaire non-fictie. Wel heb ik deze familiegeschiedenis zoveel mogelijk ingebed in de historie van het postkoloniale Indonesië. Ook heb ik, naast haar openhartige dagboek, gebruikgemaakt van de brieven, foto's en herinneringen van mijn Hollandse nicht Lily, die al zestig jaar in Bandung woont. De gebruikte fragmenten uit Lily's dagboek en brieven zijn soms ingekort maar wel authentiek. Pas na het overlijden van haar Indonesische ex-man in 2002 wilde ze haar levensverhaal vertellen. Ook andere familieleden hebben me op het spoor gezet. Zo heeft mijn bezoek aan Lily's zoon, mijn achterneef Guntur die van gemengde afkomst was en in het oude stadscentrum van Jakarta woonde, veel helderheid verschaft over zijn leefomstandigheden, zijn huwelijk met de Javaanse Inah en zijn benarde positie in de Indonesische samenleving. Om de 'echtheid' van dit verborgen familieverhaal zorgvuldig op papier te zetten heb ik geprobeerd me zoveel mogelijk in te leven in personen en gebeurtenissen. Verder zijn de voornamen van de meeste familieleden om privacyredenen veranderd. Alle bekende mensen, zoals politici en generaals, zijn wel bij hun eigen naam genoemd.

Den Haag, weduwe van Indië, blz. 11: dit verhaal is gebaseerd op herinneringen uit mijn jeugd.

De tamboer, blz. 19: Ministerie van Defensie, Instituut voor Maritieme Historie, brief 8 juli 1994. Met bijlagen aan auteur waaronder documenten over de betrokkenheid van de Koninklijke Marine bij de Lombokexpeditie in 1894 en informatie over de oorlogsschepen waarop Lily's en mijn grootvader Jan Zweers als tamboer en hoornblazer van het Korps Mariniers heeft gediend. *Marineblad*, 9e jrg. 1894–1895. (Den

Helder, 1895) en *Marineblad* 10e jrg. 1895–1896 (Den Helder, 1896).
Jaarboek Koninklijke Nederlandse Zeemacht, 1894–1895 (Den Haag, 1896) en *De geschiedenis van het Nederlandsche Korps Mariniers van 1665-1945* door C.J.O. Dorren (Den Haag, 1948).

Privédocumenten, foto's, zakboekje Koninklijke Nederlandse Marine Jan Zweers, stamboeknr. 17826. Zakboekje Korps Mariniers van Jan Zweers (collectie auteur).

Informatie over de functie van tamboer/hoornblazer bij het Korps Mariniers is afkomstig van Sjak Draak van het Mariniersmuseum te Rotterdam en Harm Stevens van het Legermuseum te Delft. Voor de beschrijving van de militaire actie op Lombok in 1894 is onder meer gebruikgemaakt van de boeken *Dit leven van krachtig handelen, Hendrikus Colijn 1869–1944*, deel I van Herman Langeveld (Amsterdam, 1998) en *De schatten van Lombok* van Ewald Vanvugt (Amsterdam, 1994).

Een sprookjeshuwelijk, blz. 31: dagboek, aantekenschrift, brieven en familiefoto's van Lily (collectie auteur).

De citaten zijn ontleend aan authentieke documenten. Gesprekken van de auteur met Lily, andere familieleden en vrienden zijn in oktober/november 2003, oktober/november 2005, juni/juli 2009 en mei/juni 2010 te Bandung en Jakarta en in augustus/september 2006 te Rijswijk en Bilthoven gehouden.

Wat betreft de families Strielack en Israël te Banjumas op Midden-Java in de negentiende eeuw zijn de Adresboeken, de *Indische Almanak* en de Naamlijst Europese Inwoners bij de Koninklijk Bibliotheek te Den Haag doorgenomen. Historische (beeld)informatie over de stad Bandung heb ik gehaald uit de boeken *Bandoeng* van Hein Buitenweg (Wassenaar, 1976) en *Bandoeng, beeld van een stad* van Robert Voskuil (Purmerend, 1996).

De exodus, blz. 55: voor de beschrijving van de positie van de (Indische) Nederlanders in Indonesië tijdens de jaren vijftig heb ik onder meer gebruikgemaakt van het werk van Hans Meijer, *Den Haag-Djakarta, De Nederlandse Indonesische betrekkingen 1950–1962*

(Utrecht, 1995) en *In Indië geworteld.* (Amsterdam, 2004). Over het herstel van de Nederlands-Indonesische betrekkingen heb ik het boek van de oud-diplomaat C.D. Barkman *Bestemming Jakarta* (Amsterdam, 1993) gelezen; ook heb ik gesproken met de oud-diplomaat Van A. te Voorschoten over zijn ervaringen in het Indonesië van de jaren zestig.

Wat betreft de rol van de Indonesische inlichtingendiensten is het boek *Intel, Inside Indonesia's Intelligence Service* van Ken Conboy (Jakarta, 2004) geraadpleegd.

Het gevaarlijke jaar, blz. 69: voor de beschrijving van de staatsgreep van 1965 heb ik onder meer geput uit de volgende boeken: John Hughes, *The end of Soekarno* (Singapore, herdruk 2003).

Lambert Giebels, *De stille genocide* (Amsterdam, 2005) Antonie Dake, *The Soekarno File 1965–1967* (Leiden, 2006) en John Roosa, *Pretext for massmurder* (Wisconsin, 2006).

Habibies buffer, blz. 85: boek over president B.J. Habibie, *BJP His life and Career* door A. Makmur Makka (Jakarta, 1999) en autobiografie van de oud-generaal en gouverneur H. Mashudi Nataatmadja (1920–2005), *Mashudi Memandu Sepanjang Masa* (Bandung, 1998).

Over de theeplantages in de Preanger is Hella Haasses *Heren van de thee* (Amsterdam, 1992), *Karel Frederik Holle, theeplanter in Indië* van Tom van den Berge (Amsterdam, 1998) en *Brieven van de thee* met een inleiding door Nelleke Noordervliet (Amsterdam, 2004) geraadpleegd.

De engel van Kebayoran, blz. 119: wat betreft de regeringsperiode van Soekarno en Soeharto heb ik onder meer gebruikgemaakt van Lambert Giebels, *Soekarno, een biografie 1901–1950* (Amsterdam, 1999) en *Soekarno, een biografie 1950–1970* (Amsterdam, 2001) Cindy Adams, *Soekarno een autobiografie* (Den Haag, 1967) Robert Elson, *Soeharto* (Utrecht, 2004) K.H. Ramadhan en G. Dwipayana, *Soeharto, mijn gedachten, woorden en daden* (Franeker, 1991).

Informatie over het post-Soehartotijdperk heb ik gehaald uit Kees van Dijk, *A Country in Despair, Indonesia between 1997–2000* (Leiden, 2001) Richard Lloyd Parry, *Indonesië, tijden van waanzin* (Amsterdam,

2005), Henk Schulte Nordholt, *Bali, An open fortress 1995–2005* (Singapore, 2007), *Indonesië na Soeharto, Reformasi en restauratie, 1995–2007* (Amsterdam, 2008) en Bill Tarrant, *Reporting Indonesia, The Jakarta Post story 1983–2008* (Jakarta, 2008).

De voornaamste bronnen die zijn gebruikt over minister Hartarto Sastrosunarto: *Wall Street Journal* van 3 februari 1998, 'Indonesia's next vice-president'; Reuters van 9 januari 1998, 'Corruption in some state firms detailed'; *Asiaweek* van 1 juni 1998, *Children of a lesser God*; *Asian Political News* van 12 juli 1999, 'Indonesia moves forward to eliminate corruption'. En het boek *A Country in Despair, Indonesia between 1997 and 2000* van Kees van Dijk.

Over het oude Batavia/Jakarta hebben de volgende bronnen mij geïnspireerd: Adolf Heuken, *Historical Sites of Jakarta* (Jakarta, 2000), Robert Voskuil, *Batavia, beeld van een stad* (Houten, 1989) en *Batavia/ Jakarta beeld van een metamorfose* (Purmerend, 1997).

De actuele ontwikkelingen heb ik gevolgd via de digitale versies van de Indonesische kranten *The Jakarta Post* en *The Jakarta Globe*.

Nawoord

De reconstructie van dit familieverhaal is mogelijk gemaakt dankzij de informatie en de persoonlijke herinneringen van familieleden en vrienden. Om te beginnen natuurlijk mijn nicht Lily en haar kinderen. Van belang was de medewerking van Lily's zoon Guntur en zijn vrouw Inah. Ze zijn vroegtijdig overleden. De onstuimige Dewi is na een fatale attack geveld. Ze is in een diepe coma geraakt. Lativa heeft haar in een kamer vol met medische apparatuur op de bovenverdieping van haar villa ondergebracht. Ze wordt dag en nacht verzorgd door speciaal ingehuurd verplegend personeel.

Verder gaat mijn speciale dank uit naar Koesoemo Dardo te Jakarta zonder wie de belangrijke elementen van de familiegeschiedenis onopgehelderd waren gebleven.

De familie heeft me zeer gastvrij ontvangen en bij mijn nicht Lily in Bandung heb ik regelmatig gelogeerd. Vaak heb ik haar lastiggevallen met vragen en het opdiepen van haar herinneringen. Ze heeft altijd meegewerkt en het familieverhaal gecontroleerd op feitelijke onjuistheden maar mij wel de ruimte gegeven om haar levensverhaal te schrijven. Ook Bambang Hidayat heeft me altijd gastvrij in Lembang en later in Bandung ontvangen. Uitgever Ron Smit heeft zich ingezet voor dit project, waarin hij direct heeft geloofd. Henk Schulte Nordholt en Willy van Rooijen hebben als kritische meelezers waardevol commentaar gegeven op verschillende versies van het manuscript. Ineke van der Elst, mijn vrouw, is een grote creatieve steun bij de wording van dit boek geweest.

Over de auteur

Louis Zweers studeerde kunstgeschiedenis aan de Leidse Universiteit. Vanaf 1986 is hij werkzaam als zelfstandig kunst- en fotohistoricus en publicist. Hij stelde twintig boeken samen over fotografie, media en geschiedenis, in het bijzonder over Nederlands-Indië/Indonesië. Hij is deeltijddocent aan de masteropleiding Media en Journalistiek van de Erasmus Universiteit Rotterdam. *De engel van Kebayoran* is zijn debuutroman.